Karadeniz
Meraklısı için Gezi Rehberi

Black Sea
A Traveller's Handbook for Northern Turkey

Sevan Nişanyan
Müjde Nişanyan

BOYUT YAYIN GRUBU

Karadeniz
Meraklısı için Gezi Rehberi

Black Sea
A Traveller's Handbook for Northern Turkey

SEVAN NİŞANYAN
MÜJDE NİŞANYAN

Genel Yönetmen
Bülent Özükan

Genel Müdür
Nilgün Özükan

Genel Sanat Yönetmeni
Murat Öneş

Sanat Yönetmeni
Yıldız Ertan

© Kapak/Cover
Uğurhan Betin

© Fotoğraflar/Photographs
Mehmet Avcıdırlar, Manuel Çıtak, Bünyad Dinç, Betsy Klein, Sevan Nişanyan, ibrahim Zaman & c

© Harita/Map
İki Nokta Ltd. Şti.
Tel: (0216) 349 01 41

ISBN 975521378-3

1. Baskı: Haziran/June 2000
2. Baskı: Temmuz/July 2000
3. Baskı: Nisan/April 2001

Yayınlayan/Published by

B O Y U T   Y A Y I N   G R U B U

Yüzyıl Mah. Matbaacılar Sitesi, 1. Cadde No:115
34560 Bağcılar - İstanbul, Turkey
Tel/Phones: (212) 629 53 00 pbx
Fax: (212) 629 05 74-75
www.boyut.com.tr
E-mail: info@boyut.com

Meraklısı için Gezi Rehberi

Karadeniz
Black Sea

A Traveller's Handbook for Northern Turkey

*Fonksiyonel
alan kullanımı*

*Sınıfının
en sessizi*

*Birinci sınıf
manevra kabiliyeti*

YENİ NISSAN ALMERA.
HAYAT KARŞINIZA NE ÇIKARIR BİLEMEZSİNİZ.

Hayat dediğimiz sürprizi bol bu yolda, bir sonraki virajın sonunda karşınıza ne çıkacağını asla kestiremezsiniz. İşte 12 yıl gövde garantisine sahip Yeni Almera, sadece şimdiki değil, tüm olası gereksinimlerinizi de karşılamak için tasarlandı. Fonksiyonel alan kullanımı sayesinde, eşyalarınız güvende, aklınız yolda olur. Almera'nın birinci sınıf manevra kabiliyeti size trafikte süzülüp en elverişsiz yerlere bile kolayca park etme olanağı tanır. Dahası, geliştirilmiş aktif güvenlik özellikleriyle her yolculuğunuz huzurlu geçer... Nereye giderseniz gidin.

3 yıl / 100.000 km garanti   Türkiye Genel Distribütörü Nissan Otomotiv A.Ş. Tel: (0216) 397 22 00 PBX Faks: (0216) 396 59 59

Ergonomik koltuklar
ve aktif koltuk başlıkları

Aktif güvenlik
(Ön ve yan hava yastıkları, ABS+EBD)

Ekonomik

www.nissan-almera.com

Ayrıcalık Hakkınız

İçindekiler Table of Contents

Ağva ... Akçakoca ... Konuralp ... Yedigöller ... Ereğli ... Zonguldak...
Bartın ... Amasra ... Kurucaşile ... Uluyayla ... Safranbolu ... Yörük ...
Kasaba ... Kastamonu ... Ilgaz Dağı ... Boyabat ... Sinop ... Samsun ...
Çarşamba Ovası ... Amasya ... Zile ... Tokat ... Niksar ... Ünye ...
Fatsa ... Bolaman ... Ordu... Giresun ... Şebinkarahisar ... Harşit ...
Vakfıkebir ... Tonya ... Akçaabat

Trabzon ... Sumela ... Kuştul ... Vazelon ... Zigana ... Gümüşhane ...
Korom Vadisi/Valley ... Santa ... Kov Kalesi ... Bayburt... Sürmene...
Of ... Uzungöl ... Soğanlı Geçidi/Pass ... Şimşirli ... Ovitdağı
Geçidi/Pass ... Rize ... Çayeli ... Pazar ... Ardeşen ... Hopa ...
Cankurtaran Geçidi /Pass... Sarp

Çamlıhemşin ... Ayder ... Kaçkar Dağı/Mountain ... Zilkale ... Tatos
& Verçenik

Borçka ... Camili... Artvin ... Yusufeli ... Dörtkilise ... Barhal ...
İşhan... Öşkvank ... Haho ... Dolishane ... Ardanuç ... Aydınköy...
Yeni Rabat ... Bilbilan Yaylası ... Opiza & Porta ... Meydancık...
Tbeti ... Karagöl ... Şavşat

Sunuş

Türk gezgininin son "keşfi" Karadeniz. Gün geçmiyor ki bir dostumuz Sumela'yı, Safranbolu'yu, Kaçkar yaylalarını, Uzungöl'ü tatil programına almasın. "Alternatif" acentelerin en popüler gezi hedeflerinden biri de Karadeniz.

Buna karşılık piyasada Karadeniz bölgesini konu alan derli toplu bir gezi rehberi henüz yok. Varolan gezi kitapları Karadeniz'e sadece birkaç sayfa, yüzeysel bir biçimde yer veriyorlar.

Karadeniz kıyılarını tarih ve anıtlarıyla birlikte kasaba kasaba tanıtan son eser, yanılmıyorsak, Trabzon'lu Peder Minas Bjişkyan'ın 1819 tarihli **Karadeniz Tarihi ve Coğrafyası** adlı gezi kitabı idi. 1969'da Türkçe'ye çevrilen bu değerli yapıt 1998'de Çiviyazıları tarafından **Pontos Tarihi** adıyla yeniden yayınlandı.

Biz de 1990 yılında Boyut Yayınlarından Karadeniz hakkında İngilizce bir rehber yayınlamıştık. Bu kitabı güncelleştirerek Türkçe'ye uyarlama zamanının geldiği kanısına vardık. Kitapta yer alan tüm bilgileri 1999 Mayıs ve Ağustos-Eylül aylarında yaptığımız iki uzun gezide kontrol etme fırsatını bulduk.

Faydalı olacağını ümit ediyoruz.

Sevan Nişanyan
Müjde Nişanyan

A Different Sort of Turkey

In landscape and history, the Black Sea coast is different from the rest of Turkey. A high range of mountains – the Pontic Alps – has historically blocked access to the region, giving rise to strongly marked local cultures. High rainfall supports lush vegetation in the mountain valleys crossed by wild streams and waterfalls. The northern slopes of the Kaçkar range, where it rains 250 days a year, are covered with jungle-like forest.

There is no shortage of beaches along the coast. Yet neither the unpredictable climate nor the charmless sprawl of coastal cities encourages serious beach tourism. The true splendours of the Black Sea lie in the mountains, where traditional lifestyles survive (more or less) intact, and monuments like the mediaeval Sumela Monastery or the Georgian churches of Artvin amaze the infrequent visitor.

**

This volume was first published in 1990 by Boyut in an English-only edition. The present edition has been thoroughly revised following several journeys to the region in 1999 and 2000. All facts and opinions that we hazard here were checked and found valid as of these dates. If there are any errors and omissions left, we will appreciate hearing about them. Please write to us:

By post: Nişanyan, Şirince, Selçuk
By fax: (0232) 898 3117
E-mail: nisanyan@nisanyan.com

Sevan Nişanyan
Müjde Nişanyan

Tarih A Regional History

Karadenizin antik çağdaki ilk adı **Pontos Axeinos:** Yabanıl Deniz. Daha sonra imaj düzeltme gereği duyulmuş olacak ki isim **Pontos Euxeinos**'a çevirilmiş: Konuksever Deniz!

Milattan önce 1000 ile 600 arasındaki karanlık devirde Yunanlılar Karadenize denizci ve tüccar olarak gelmişler. Sahil boyunca bir dizi Yunan ticaret kolonisi kurulmuş. Bunların en önemlisi **Sinope** *(Sinop)*. Sonra **Amastris** *(Amasra)*, **Amisos** *(Samsun)*, **Kerasos** *(Giresun)*, **Trapezos** *(Trabzon)*, **Bathys** *(Batum)* ve diğerleri. Yerli halkla karışık, biraz kaba, hayli uzak sınır kentleri olarak kalmışlar. 2. yüzyıl tarihçisi **Arrianos**'a göre Trabzon'daki Grekçe yazıtlar dil ve yazım hatalarıyla doludur. 4. yüzyılda kilise tarihçisi Epiphanios "**Laz kenti**" diyerek Trabzon'a burun kıvırır.

Bölgenin yerli halkı hakkında bilinenler çok az. Kesin olan tek şey, hemen hemen her vadide ayrı bir kavim veya kabilenin yaşadığı. Kimlerden geldikleri, nece konuştukları konusunda kesin bilgiler yok. MÖ 400'de buralardan geçen **Ksenofon**'un sadece Zigana geçidi ile Ordu-Çarşamba tarafları arasında sözünü ettiği kavimler şöyle: **Taoh**'lar, **Haldi**'ler, **Heptakomet**'ler, **Makron**'lar, **Mossinek**'ler, **Tibaren**'ler. Rize'den ötede **Kolhis**'in çeşitli aşiretleri; daha batıda Ortaçağlara dek isimleri hatırlanan, Osmanlı'nın Canik iline adlarını veren **Can**'lar (ya da Tzan'lar).

Karşı sayfa: Sumela Manastırı /
Sumela Monastery, opposite.

Ancient Greeks imagined the Black Sea as a distant, frightful and barbaric place – the outer edge of the civilised world. They called it **Pontos Axeinos**, the Inhospitable Sea, before an early exercise in the art of public relations turned the name into **Pontos Euxeinos**, the Truly Hospitable Sea.

Greeks came first as raiders, then as settlers. By the 7th century BC they had set up trading colonies along the Pontic shore, beginning with **Sinope** (modern Sinop) and followed by **Heracleia** (Ereğli), **Amastris** (Amasra), **Amisos** (Samsun), **Kerasos** (Giresun), **Trapezos** (Trabzon), **Bathys** (Batumi) and others. The towns were all strategically located at the seaward end of the roads that crossed the Pontic Mountains. Nearly all contemporary Black Sea towns are direct descendants of the Greek colonies.

A bewildering array of native peoples inhabited the valleys and the highlands. In 400 BC the Athenian author **Xenophon** led an army over the mountains on its way back from a disastrous campaign in Persia. In Anabasis, he names no less than seven nations within a span of 200 miles: the **Taochi** north of Erzurum, the **Chaldi** or **Chalybes** around Gümüşhane, the **Scytheni** further west, the **Macrones** behind Trabzon, assorted **Colchian** tribes at the coast, the **Mossynoeci** near Giresun and the **Tibareni** to their west. The Mossynoecians struck him as particularly exotic:

Giresun yakınlarında yaşayan **Mossinek**'ler Ksenofon'u bilhassa etkilemiş:

> "Bunların zengin sınıfına mensup bazı erkek çocukları haşlanmış kestane yedirilerek iyice şişmanlatılmıştı. Ciltleri çok beyaz ve yumuşak olup, enleri boylarına eşitti. Ön ve arkaları çiçek desenli rengarenk dövmelerle kaplıydı. Kendi ülkelerinin adeti gereğince, Yunanlıların yanlarında getirdikleri kadınlarla herkesin gözü önünde cinsel ilişkiye girmek istediler."

MS 1. yüzyılda yazan coğrafyacı Strabon, Rize veya Artvin dağlarında yaşayan **Heptakomet**'lerin daha kötü olduğu kanısındadır:

> "Bütün bu dağlarda yaşayan insanlar tamamiyle vahşidir. Fakat Heptakometler daha da kötüdür. Bazıları ağaçlarda veya seyyar ahşap kulelerde yaşarlar. (...) Bunlar vahşi hayvan eti ve ceviz yiyerek yaşarlar ve kulelerinden atlayarak yolculara saldırırlar."

> *"Some boys belonging to the wealthy class of people had been especially fattened up by being fed on boiled chestnuts. Their flesh was soft and very pale and they were practically as broad as they were tall. Front and back were coloured brightly all over, tattooed with designs of flowers. They wanted to have sexual intercourse with the mistresses whom the Greeks brought with them, this being actually the normal thing in their country."*

*During the Mithridatic Wars Roman legions were lured to their death by bowls of hallucinogenic mountain honey left for them by **Heptacomete** tribesmen in the mountain passes of Rize. 600 years later the Byzantine historian **Procopius** had this to say about the people of the Pontic Mountains:*

> *"From ancient times the **Tzani** have lived as an independent people, without rulers, following a savage manner of life, regarding as gods the trees and birds and sundry creatures besides, and worshipping them, and spending their whole lives among mountains reaching to the sky and covered with forests, and cultivating no land whatever, but robbing and living on their plunder."*

*Similar sentiments were echoed eleven centuries later by the Turkish traveller **Evliya Çelebi**:*

> *"The people of the Trabzon province consist of Laz who are truly savage people, and exceedingly obstinate."*

Post Peşinde / The Argonauts

Eski çağın büyük destanlarından biri, Altın Postu ele geçirmek için Argo gemisiyle Karadeniz'e çıkan efsane kahramanlarının öyküsünü anlatır.

Iason önderliğindeki kahramanlar Kadıköy'de (Halkedon) dev Amykos'la yumruk kavgasına girişirler; Boğazın Karadeniz çıkışında çarpışan kayalardan (Symplegad'lar) kaçmayı başarırlar; Ereğli'de yakışıklı Hylas'ı erkek delisi orman perilerine kaptırırlar; Terme (Themiskyra) taraflarında Amazon'larla savaşırlar; Giresun (Aretias) Adasında tüylerini ok gibi fırlatan kuşlardan canlarını zor kurtardıktan sonra, nihayet Karadeniz'in sonunda "bulutlarla kaplı" **Kolhis** ülkesine varırlar.

Altın Post, Kolhis kralı Aietes'in elindedir. Kral postu teslim etmek için Iason'dan bir ejderi öldürüp dişlerini bir tarlaya ekmesini, ateş püsküren, tunç ayaklı iki boğayı boyunduruğa koşmasını ve tarlayı sürmesini şart koşar. Ancak kralın büyücü kızı **Medea** Iason'a aşıktır. Kahramanımızı çeşitli zorluklardan kurtarır ve Argo'cularla birlikte Yunanistan'a kaçar. Bir süre sonra Iason tarafından terkedilince bunalım geçirerek iki küçük çocuğunu doğrar.

*The Argonauts set out in the ship **Argo** to capture the Golden Fleece. Their leader was Jason, the disinherited son of the king of Thessaly. He sailed with a distinguished crew of Homeric heroes who included such worthies as Hercules, Ulysses and Orpheus.*

*The heroes negotiated the **Symplegades**, a pair of murderous roving rocks at the northern end of the Bosphorus. They saved old king **Phineus** whose food was continually fouled by the Harpies. They lost one of their members to lovelorn Nymphs near **Heracleia**, fought the Amazons in **Themiscyra**, weathered an attack of killer birds on the Isle of **Aretias**, and eventually found the Fleece in cloud-bedecked **Colchis**, a land at the eastern end of the Black Sea where few ever went and fewer returned. Here Jason tamed the fire-breathing bulls of King Aietes and successfully sowed the teeth of a dragon. He managed to steal the Fleece with the help of **Medea**, the witch-daughter of the king, who fell in love with Jason and eloped with him back to Greece. He later betrayed her, causing her to go mad.*

The original Argonautic epic is lost. The story survives in a mushy Hellenistic version by Apollonius of Rhodes.

Pontos I

Tarihte Pontos adını taşıyarak sivrilen iki devlet var. Birincisi Helenistik çağda: MÖ 302-MÖ 63. İkincisi Bizans'ın son devrinde: 1204-1461.

Birinci Pontos krallığı İskender'in fetihlerinden kısa bir süre sonra kurulmuş. Altyapısı Anadolulu, üst kültürü Yunanlı olan bir devlet. Merkezi **Amasya**, daha sonraları **Sinop**. Kral mezarları Amasya'da tüm ihtişamıyla duruyor.

En ünlü Pontos kralı, Eupator lakabıyla tanınan **VI. Mithridates** veya **Mitridat**. MÖ 88'den 63'e dek aralıksız 25 yıl Romalılarla uğraşmış. Bir ara Anadolu'nun yarısını, Kafkasya ve Kırım'ı içeren bir hükümdarlık elde etmiş. Anadolu halkınca Büyük Kral adıyla anılmış. Sırasıyla Sulla, Licinius Murena, Marius, Lucullus ve Pompeius gibi Romalı liderler, Pontos "belasını" defetmeye Anadolu'ya gönderilmişler. Her yenilgiden sonra tekrar toparlanmış. Kırım'da ihanete uğramış. Romalılara teslim edileceğini anlayınca zehir yutmuş. Ama yaşam boyu azar azar zehir alarak bünyesini alıştırdığı için fayda etmemiş. Galyalı bir paralı askere kendini öldürtmüş. Düşmanına saygı duyan Pompeius'un emriyle, anavatanı olan Sinop'a gömülmüş.

Oğlu birkaç yıl sonra yeniden Roma'ya meydan okumaya kalkınca **Zela**'da (Tokat'ın ilçesi Zile) **Julius Caesar** tarafından imha edilmiş. Ünlü zafer notunu Sezar bu savaştan sonra Roma'daki sevgilisine göndermiş: *veni, vidi, vici* — geldim, gördüm, yendim.

The Pontic Kingdom

The first Pontic Kingdom was created around 300 BC by **Mithridates I,** *a Hellenic adventurer who reigned over a Persianised local aristocracy at Amasya.*

His descendant **Mithridates VI Eupator** *expanded the kingdom into an empire covering the entire Pontic basin as well as half of Anatolia. Ruling from Sinope, he battled the rising power of Rome for 25 years before finally bowing to Pompey's legions and committing suicide in 63 BC. His son's final show of resistance was crushed at* **Zela** *(modern Zile near Tokat) by* **Julius Caesar,** *who dismissed the event with the laconic epigram:* veni, vidi, vici.

Roman Centuries

During the Roman and Byzantine centuries the Pontic seaboard slumbered in provincial oblivion. In the 2nd century AD **Arrian** *reported that inscriptions in Trabzon were full of mistakes "because they were written by barbarians." Somewhat later the church historian* **Epiphanios** *refers to Trabzon as "a city of the Laz", using the term in the derogatory sense that is still employed today. Virtually no monuments of Helleno-Roman Antiquity survive in the Pontic cities.*

Christianity spread in the 4th century. It supplied a common cultural ground for the previously unmixed peoples of the region: the valley dwellers embraced Greek manners and often the Greek language along with the Greek religion. The last to convert were

Pontos krallığı Roma egemenliğine girdikten sonra bir süre Denizli'li Roma yandaşı zengin bir işadamı olan **Polemon** tarafından yönetilmiş. Bolaman kasabasına adını veren bu zattan sonra, Roma vilayet yönetimi kurulmuş.

Pontos II

Roma ve Bizans yüzyıllarında Karadeniz, tarihin ana sahnesinden uzak bir taşra ülkesi olarak kalmış. 4. yüzyılda Hıristiyanlık yayılmış. 5. yüzyılda Laz hükümdarı **Tsatse** de bu dini kabul etmiş. Ardıllarından biri bir süre sonra vazgeçip İran'a meyledince Bizans ile İran arasında tam 50 yıl sürecek savaşlara neden olmuş. Bu savaşlardan bugüne kalan iz, Anadolu'nun doğusunda Rize dolaylarından Diyarbakır ve Mardin'e uzanan bir hattın gerisine dizili sayısız Bizans kalesi. Hemen hepsi imparator **Iustinianus** devrinde (528-565) inşa edilmiş.

Anadolu'nun Türklerce fethi Karadeniz'i önceleri ancak dolaylı olarak etkilemiş. Selçukluların 1214'te zaptettiği Sinop limanı dışında, kıyı bölgesi birkaç yüzyıl daha Rum egemenliğinde kalmış. Ancak Bizans'ın taşradaki denetimi iyice zayıfladığından bölgede bir dizi yarı-bağımsız Rum beyliği türemiş. Bu beyliklerin en önemlisi Trabzon. Daha 1080'lerde **Theodor Gabras** Trabzon'da isyan bayrağını açmış. Ailesinin üç kuşağı kentte hüküm sürmüş. Komşu Türk beylikleriyle bazen düşmanca, bazen dostça ilişkileri olmuş. Kız alıp vermişler.

the **Laz**, a client kingdom of ferocious fighters who lived in the frontier territory beyond Trabzon and spoke a language related to Georgian. Later, when they wavered and sought Iranian help, they unleashed a 50-year conflict – the Lazic War – between Byzantium and Persia. An extraordinary chain of fortifications along the empire's eastern borders, running roughly from Rize to Diyarbakır, is the surviving reminder of this war. They served as the model for all subsequent Byzantine (and Turkish) fortress-architecture.

The Empire of Trebizond

The Turks conquered the Anatolian interior in the 11th century. The Pontic coast remained in Greek hands for another few centuries. Sinop became Turkish in 1214; Trabzon held out till 1461.

In 1204 the armies of the Fourth Crusade captured and sacked Constantinople, the Byzantine imperial capital. A few days later **Alexios Comnenos**, an heir to the Byzantine crown, landed in Trabzon with an army of Georgians supplied by his aunt Thamar, the queen of Georgia, and declared himself the lawful Emperor of Byzantium, Basileus and Autocrator of the Romans.

Surviving against the odds, his descendants ruled their theoretical empire for 257 years. They outlasted the Constantinopolitan Empire, which meanwhile was wrested back from the Frankish invaders by another Byzantine pretender, by eight years.

Good connections with the Mongol and Muslim masters of Asia, on the one hand, and the Italian city-

1204'te Haçlılar İstanbul'u ele geçirip Bizans imparatorluğunu geçici bir süre için yıktığında, Bizans tahtının varislerinden **Aleksios Komnenos** maiyetiyle beraber Trabzon'a sığınıp kendini Bizans İmparatoru, Rum Kayzeri ve Tüm Doğunun Hükümdarı ilan etmiş. Rakiplerinin "Pontos Krallığı" diyerek küçümsediği Komnenos devleti 1461'de Fatih Sultan Mehmet'e teslim oluncaya dek 257 yıl varlığını sürdürmüş. Batıda Ünye'den doğuda Rize'nin biraz ötesine dek uzanan alanda hüküm sürmüş.

Komnenos devletinin asıl başarısı, bir yandan Asya'ya hakim olan Moğollarla, öbür yandan İtalya'nın zengin şehir devletleriyle kurduğu ticari ilişkiler olmuş. Ortaçağ kervan ticaretinin en parlak çağında Trabzon, Batı ile Doğu arasındaki ticaretin odak noktası haline gelmiş. "**İpek Yolu**" adı verilen kervan güzergahı, Orta Asya ve İran'dan, Tebriz,

states that dominated the Levant trade, on the other, formed the basis of Comnenian policy. Trabzon became a terminus of the Asian caravan routes. The fabled **Silk Road** *carried the riches of East Asia, through Samarkand, Tabriz and Erzurum, to the port of Trabzon, where Genoese and Venetian ships took them to points west. The city prospered. The dome of the* **Panagia Chrysocephalos** *(Our Lady of the Golden Head, now Fatih Mosque) was reportedly plated in gold.*

Separate Genoese and Venetian colonies were set up in the district of Leontocastron (now Kale Park by the sea). Their residents included the illustrious names of Lercari, della Volta, Ugolino and Colombo – perhaps great-uncles of Christopher, the future explorer. **Marco Polo** *wintered with them in 1295.*

An array of Turkish states encircled Trabzon on the south and west. The Turkish beys of

Trabzon Ayasofyası'nda fresk, 13. yüzyıl. / Fresco at the Hagia Sophia of Trabzon, 13th century.

Komnenlerin Birincisi
A Byzantine Life

Trabzon hanedanının atası olan **Andronikos Komnenos** Bizans tarihinin renkli bir kişiliği. 1120'de doğmuş. İlk gençliği Konya'da Selçuklu sarayında geçmiş. Amcaoğlu olan imparator Manuel'in kızkardeşini baştan çıkarmış. İstanbul'da 12 yıl bir zindana hapsedildikten sonra duvarı delip kaçmış. Ukrayna'ya sığınmış. Affedilip Ermenilere karşı savaşmak için Çukurova yöresine gönderilmiş. Orada Antakya kontunun kızı güzel Philippa ile dillere destan bir aşk yaşamış. Onu da terkedip imparatorun yeğeni, Kudüs Haçlı kralının dul eşi Theodora'ya kaçmış. Manuel'in şerrinden korkup birlikte Suriye emiri Nureddin Zengi'ye iltihak etmişler. Bir rivayete göre Müslüman olmuşlar.

Bir süre Bağdat'ta oturduktan sonra Şebinkarahisar beyi Saltukoğlu'nun hizmetine girmiş. Emrine tahsis edilen bir kaleden Türkler adına Trabzon ve havalisini yağmalamış. Hatta bu etkinliklerini bir destan şeklinde kaleme almış. Ancak sevgilisi ve çocukları Trabzon'a kaçırılınca aman dileyip yine Bizans'a sığınmış. Ünye'de inşa ettirdiği sarayda birkaç yıl şaşaa içinde yaşamış. 1182'de yandaşlarından oluşan bir orduyla İstanbul üzerine yürümüş. İmparator ilan edilmiş. Fransa kralının 13 yaşındaki kızıyla evlenmiş. Üç yıl süren bir terör rejiminden sonra 1185'te çıkan bir ayaklanmada linç edilmiş. Cesedi İstanbul sokaklarında sürüklenmiş.

Film yapmaya değer bir konu.

Alexios, who founded the dynasty-in-exile in Trabzon, was a grandson of **Andronicos I**, one of the more colourful characters of Byzantine history.

In his youth Andronicos was a captive in the Turkish court of Konya. Back in Constantinople, he seduced a sister of Emperor Manuel I, his cousin, and was imprisoned in a tower for twelve years. He escaped by digging a hole through the wall, was hunted down in Walachia, and ended up for a while as a refugee with Prince Yaroslav of Kiev. Pardoned and sent with an army to fight the Armenians of Cilicia, he eloped again with another imperial kinswoman, Theodora, the queen of Jerusalem. The couple took refuge with the Muslim court of Syria and then settled in Bagdad, where they were rumoured to have converted to Islam.

Andronicos next appeared in the service of the Turkish bey of Şebinkarahisar, raiding Byzantine territory from a castle granted to him by his host. He was excommunicated; Theodora and her children were kidnapped by the emperor's agents. Yet soon they were in favour again, swearing loyalty to Manuel, and residing in grand style at a palace in Oinoe (Ünye). At the emperor's death in 1182, Andronicos marched on Constantinople with an army of supporters. He was made emperor after murdering Manuel's young son and widow. Three years later, he was overthrown and murdered in turn. His body was cut up into pieces and dragged through the streets of Istanbul. Theodora managed to escape to Georgia, where his son married a sister of the queen.

Erzurum ve Zigana Geçidi yoluyla Trabzon'a bağlanmış. Burada yerleşik Cenevizli ve Venedikli tüccarlar aracılığıyla denizden Avrupa'ya ulaşmış. Kentte öyle büyük servetler birikmiş ki Altınbaş Meryem Kilisesinin kubbesini *(Panayia Hrisokefalos, şimdi Ortahisar Camii)* som altınla kaplamışlar.

Marco Polo 1295'te Çin yolculuğundan dönüşte bir süre Trabzon'da kalmış. Trabzon'da yerleşik Ceneviz kolonisine ait isimler arasında Kristof Kolomb'un büyük amcalarına rastlanıyor. Eflatun felsefesini ve eski Yunan kültürünü Rönesans Avrupası'na tanıtan **Kardinal Bessarion** (1403-1472) Trabzon'da doğup büyümüş; İtalya'ya göçüp Katolik olmuş; 1464'te papa seçilmeyi kıl payı kaçırmış.

Son yıllarına doğru Trabzon devleti artan Osmanlı tehlikesine karşı kendini savunmak için Akkoyunlu Türkleriyle yakın ilişki kurmuş. Trabzon imparatoru IV. Ioannes'in (hd 1429-1458) kızı **Despina Hatun** Akkoyunlu hükümdarı Uzun Hasan ile evlenmiş. Fatih'e karşı bir Avrupa ittifakı oluşturmak için kocasıyla birlikte çabalara girişmiş. Çabası sonuç vermemiş ama, şark illerinde mahsur kalmış Hıristiyan prenses fikri Avrupa imgeleminde yer etmiş. Roman türünün yeni oluştuğu yıllarda Trabzon Prensesi Despina sayısız popüler romana konu olmuş. **Don Kişot** bile şövalyeliğe ilk giriştiği günlerde hayalindeki Trabzon kraliçesini esirlikten kurtarmak amacıyla yollara düşmüş.

*Erzurum, Bayburt, Şebinkarahisar, Niksar, Amasya and Sinop sometimes fought, but more often traded, intrigued and allied with the Greeks of Trabzon. In 1311 **Alexios II** went to war jointly with the Candaroğlu lord of Sinop against the Genoese colonies. In 1358 the chief of the **Çepni** Turks, who were settled near Ünye as Byzantine auxiliaries, married a daughter of **Alexios III**. When the Ottomans grew menacing in the west, **Ioannes IV** (1429- 1458) married his daughter off to the ruler of a rival Turkish dynasty to secure an alliance against the Sultan. His gambit failed, but the story of a Christian princess held "captive" in partibus infidelium fired the European imagination. It spawned an entire genre of popular romances in the 15th century. Among others, **Don Quixote** launched his chivalric career to save the captive Queen of Trebizond.*

The Ottoman Era

The Ottomans were one of many Turkish emirates that carved up mediaeval Anatolia among them. From their early base in Bursa, they created in two centuries an empire ranging from Vienna to Bagdad. They took Amasya in 1389, turning it briefly into their eastern metropolis; in 1428 they descended to the Black Sea coast at Samsun. Then in a single sweep in 1461, **Mehmet II**, surnamed "Conqueror", seized the entire Pontic coast, subjugating the Genoese city-state of Amasra, the Turkish emirates of Sinop and Kastamonu, and the Greek "empire" of Trabzon.

Anarşinin Faydaları
Small is beautiful?

Karadeniz sahilinde 1200-1400'ler arası Rumlarla İtalyanlar boğuşurken, iç tarafta şaşırtıcı sayıda Türk beyliği birbirini izlemiş. Erzurum padişahı Mugisüddin Tuğrılşah, Bayburt hakimi Latif Hoca, Erzincan meliki Mutahharüddin Taharten, Diyarbakır sultanı Kara Yülük, Şebinkarahisar emiri Saltukoğlu, Tokat beyi Mühezzebüddin Ulu Bey, Kastamonu beyi Muzafferüddin Yavlak Arslan, Amasya valisiyken bağımsızlık davasına düşen Torumtay, yine Amasya valisiyken bağımsızlık ilan eden "Köse Peygamber" Ertena, yine Amasya valisiyken bağımsız olan Hacı Şadgeldi Paşa, yine Amasya'da vezirken devlet kuran Kadı Burhaneddin, dönemin ünlü şahsiyetlerinden birkaçı.

Anadolu'nun milli birlik ve beraberlikten feci surette yoksun kaldığı bu dönem, aynı zamanda olağanüstü bir kültürel ve ekonomik kalkınmaya tanık olmuş. Bugünkü Anadolu kentlerinin çoğu, bugünkü konum ve önemlerine bu devirde kavuşmuşlar. Altmış küsur Anadolu devletinin başkentleri camiler, medreseler, hanlar, hamamlar, hastanelerle bezenmiş; her sarayda şairler, fakihler, mimarlar, müneccimler sanatlarını icra etme fırsatı bulmuşlar. Anadolu'da Roma imparatorluk çağından beri eşi görülmemiş – ve 1960'lara dek bir daha eşi görülmeyecek – bir imar hamlesi başlamış.

Anadolu kent ve kasabalarında bugün varolan tarihi anıtların ezici çoğunluğu beylikler çağından kalma. Osmanlılar bir yeri aldıktan hemen sonra bir-iki cami yapmışlar. Sonra ardı kurumuş.

Chaos reigned in Anatolia between the Turkish conquest of 1071 and the final consolidation of Ottoman rule in the 16th century. A half-dozen Turkish emirates emerged in the 12th century. The **Selçuk** sultanate of Konya was briefly triumphant in the 13th; but a Mongolian invasion unhinged that kingdom, and caused scores of mini-dynasties to breed. The **Mongolians** tried to rule Anatolia through appointed governors, but many of these governors revolted in turn and started dynasties of their own.

The **Ottomans** were initially a mini-dynasty based near the city of Bursa. They demolished Byzantium first, and then turned around to eat up the remaining Turkish beys of Anatolia.

Incredibly, the Time of Troubles was also a time of great economic and cultural ferment. Most Anatolian cities grew to their present size and importance then. They acquired the basic institutions of Islamic civil life – mosques and medreses (colleges), hospitals, public baths, trading houses and inns – as the capital of one petty court or another. At no other period in the history of Anatolia, except perhaps the Roman imperial age, were so many civic monuments built as between the 12th and 16th centuries.

The Ottoman era was sterile by comparison. There is practically nothing to show for the mid-Ottoman centuries (1510s to 1800s) in all of Anatolia outside Istanbul – except, significantly, for the palaces and castles of a few outlawed warlords.

Osmanlı Çağı

Osmanlılar Amasya'yı 1389'da, Samsun'u 1428'de ele geçirmişler. 1461'de **Fatih Sultan Mehmet** Karadeniz'deki son Ceneviz limanı olan Amasra'yı almış. Aynı yıl Candaroğlu beyliğine ve Trabzon imparatorluğuna son vermiş. Son olarak 1536/1548'de Artvin'deki Gürcü kaleleri zaptedilmiş.

Osmanlı egemenliğinin ilk yılları bölgeye nisbi bir canlılık getirmiş. Amasya'da 1410-1510 yıllarından bugüne kalan oniki kadar önemli cami ile sayısız türbe, medrese vb. var. Trabzon'da Osmanlı mimarisi 1505'te **Gülbahar Hatun** külliyesi ile taçlanmış. Rize'de kayda değer tek Osmanlı eseri de 1500'lerin ilk yıllarında yapılmış.

Daha sonra durum değişmiş. Tokat'taki 1572 tarihli **Ali Paşa Camii** ile Hamamı bir yana

The mountains of the Pontic interior finally submitted to Ottoman rule during the governorship of the future sultan **Selim I** in Trabzon (1490-1512). The Laz clans were converted to Islam at that time; others followed suit after the collapse of Georgian power in the Artvin valleys in mid-16th century. The Greek-speaking valley dwellers of Of and Chaldia (modern Gümüşhane) and possibly the highlanders of Hemşin, too, came around ca. 1680. Some became Muslim without losing their ancestral languages. Others who had earlier adopted Greek now learned Turkish, developing their own inimitably accented version of it. Crypto-Christianity and bi-religionism remained common in some areas until the 19th century. Elsewhere, as in the valleys of Of, the new creed was adopted with fervour.

Christians continued to exist in significant numbers, too. **Greeks** formed perhaps a fifth of the Pontic population at the turn of the 20th century; they held a near-majority in cities like Giresun and Sinop. The **Armenian** element was stronger in the region behind the mountains, but spread thinly along the coast.

The maintenance of law and order was entrusted in remote areas to **derebeyis**, literally Lords of the Valley. Initially these served as auxiliaries to the Pasha of Trabzon; when central authority waned in the 18th century they emerged as quasi-independent warlords. They kept their private troops and fought their own battles, as in the epic war of the Tuzcuoğlus and Haznedaroğlus, which devastated the Laz country in the 1830s and 40s. They were not averse to a spot

bırakılırsa, 1510'lardan 19. yüzyıl ortalarına dek bölgede uygarlık veya ekonomik etkinlik belirtisi olan bir tek ciddi yapıya rastlanmıyor.

17. yüzyılda yazan Evliya Çelebi'ye göre Trabzon ahalisi *"külliyen Laz olup vahşi kimselerdir... Trabzon'un 41 nahiyesi vardır velakin hepsi asidir."*

Daha Fatih döneminde Karadeniz'in ulaşımı güç vadilerinde yönetimin Derebeyi unvanını taşıyan yerel reislere teslim edildiğine ilişkin bilgiler var. Gümüşhane-Torul bölgesinde Hıristiyan derebeyleri 1600'lere dek Osmanlı devleti adına hüküm sürmüşler. 18. yüzyıla doğru derebeyi hanedanlarının gücü ve bağımsızlığı artmış. En ünlüleri olan **Haznedaroğlu** sülalesi 100 yıla yakın Trabzon'u "vali" sıfatıyla yönetmiş. Lazistan'da hakim olan **Tuzcuoğulları**'na karşı 1810'lardan 1840'lara dek süren bir savaş vermişler. Sonunda Laz ülkesini baştanbaşa yıkıp talan etmişler.

Yeni Zamanlar

19. yüzyılda Karadeniz'in kuzeyinde **Rusya**'nın gücünü artırmasıyla birlikte denizaşırı ticaret canlanmaya başlamış. Karadeniz kentlerine yeniden yaşam gelmiş. Konaklar, ticarethaneler yapılmış. 1810'larda **Hacı Avedik** adlı Ermeninin girişimiyle Ordu kenti kurulmuş. Yüzyıl sonuna doğru Rusya'da kazanılan servetler ve Rusya'dan getirilen tüketim malları bölge ekonomisine damgasını vurmuş. Çamlıhemşin'in eski konaklarında halen Rus malı

of robbery or sea piracy, either. Raiding for slaves in Circassia formed the main source of revenue for the lords of Lazistan.

The rule of the derebeyi was at last broken in the reign of **Mahmut II** *(1808-1839); a few of their stately residences survive (barely) as landmarks of Pontic architectural history.*

Modern Times

*The growth of **Russia** in the north marked the 19th century. The Ottoman Empire fought its predatory new neighbour no less than seven times between 1768 and 1918. On four of these occasions, Russian armies advanced as far as Erzurum or Trabzon. Between the wars, Russian commercial – and political – pull was felt in the region. The rich hoarded "Russian gold"; the poor dreamed of "striking rich in Russia"; "made in Russia" became the mark of quality. Trade revived; fine public buildings, assertive churches and elegant townhouses vaunted the new sources of wealth. Today, antique Russian pianos and ceramic stoves bearing the imprint of St Petersburg imperial works still turn up occasionally in the old mansions of Hemşin and Trabzon.*

*For Christians, Russia meant more than economic clout. A treaty in 1774 allowed the Tsar to take on the role of "protector" of the Sultan's Greek-Orthodox subjects. Concessions and "reforms" followed each defeat. Other European powers joined the fray to exploit the **"Christian issue"**. Christians were granted legal and economic privileges, which upset the social fabric and led to Muslim resentment.*

antika piyanolara, Rus işi çini sobalara rastlanıyor. Rusların Paris'ten Kafkasya'ya taşıdığı milföy pastası, "Laz böreği" adıyla millileştirilmiş.

Doğu Karadeniz nüfusunun yaklaşık beşte birini oluşturan gayrımüslim unsurlar, ekonomik canlanmadan daha büyük pay almışlar.

Karadeniz'de gayrımüslim nüfusu tasfiye etme çabalarına sistemli bir devlet politikası olarak 1913'ten itibaren rastlanıyor. Birinci Dünya Savaşı sırasında **Topal Osman** ve benzerlerinin yönettiği çeteler Giresun, Ordu ve Samsun yöresinde Rum köylerine karşı bir terör kampanyası yürütmüşler. Trabzon'u işgal eden Rus ordusu 1918'de geri çekilirken bu kez Ermeni ve Rum çeteleri silahlanarak Türklere ve birbirlerine yönelik saldırılar düzenlemişler.

Trabzon merkezli bir **Pontos devleti** kurma düşüncesi 1919 Mayısını izleyen aylarda kısa bir süre gündeme gelmiş. Kentin,

*The early years of the 20th century saw the explosive birth of **Turkish nationalism** in response these strains. The radical solution came to be seen as the only possible solution to the Christian "issue". During the World War, officially sanctioned gangs spread terror to Greek villages around Sinop, Samsun and Giresun. Greek and Armenian bands, in turn, wrought retaliatory havoc in the wake of the Russian occupation of Trabzon in 1916-18.*

*The creation of a Greek-inspired Pontic Republic seemed briefly a possibility in 1919, when Turkey lay defeated and seemingly dead. The victory of the nationalist government of Ankara, led by **Mustafa Kemal**, put an end to that phantom. The Turkish Republic was founded in 1923. By the **Treaty of Lausanne** the same year, all remaining Anatolian Greeks were deported from Turkey in exchange for Turkish emigrants from northern Greece. The exchange was carried out along religious rather than ethnic lines. The Greek-speaking Muslims of the Trabzon*

Bir zamanlar Ordu. / Ordu as it was.

kurulması tasarlanan Ermeni devletine verilmesi ihtimaline karşı, Trabzon'lu ileri gelen Türklerin bazıları da, Rumlarla birlikte, bağımsız Pontos fikrini desteklemişler. Ancak Türklerin 1920 başlarında güçlenen Milli Hareket'e yönelmelerinden sonra, Rumlardan da Pontos projesini savunan kimse kalmamış. *(Pontos meselesi hakkında ayrıntılı bilgi İletişim Yayınlarından çıkan Stefanos Yerasimos'un* Milliyetler ve Sınırlar *kitabının 351-425 sayfalarında var.)*

Milli Mücadele'nin zaferinden sonra 1923'te imzalanan **Lausanne Antlaşması**'na ek protokol uyarınca Karadeniz bölgesinde halen hayatta kalmış olan 300.000 dolayında Rum nüfusun tümü tahliye edilmiş. Mübadelede din ölçütü temel alınmış. Sadece Türkçe konuşan Rum-Ortodoks kilisesine mensup Hıristiyanlar sınırdışı edilirken, Of, Maçka ve Tonya'nın Rumca konuşan Müslüman halkı Türk sayılarak yerinde bırakılmış.

Cumhuriyetin ilk onyıllarında Karadeniz bölgesi ciddi bir ekonomik kriz yaşamış. Halk arasında anlatılanlara göre 1930'larda Rize yöresinde çok sayıda insan açlık ve hastalıktan kırılmış. Ancak **Demokrat Parti** yıllarında çay ekiminin yaygınlaşmasıyla Karadeniz halkı makus talihini yenebilmiş. Yine aynı yıllarda Karadeniz'den Batıya ve kentlere doğru büyük göç başlamış.

Zekası ve girişkenliğiyle birçok sektörde kendini kanıtlayan Karadeniz insanı, büyük şehirde kazandığı serveti son yıllarda — apartman, cami ve fabrika olarak — kendi vatanına yatırmaya başlamış.

highlands were allowed to stay; Turkish-speaking Christians (eg. in Gümüşhane and Cappadocia) had to go.

The Pontic region was affected badly by the upheavals. Economic crisis and depopulation blighted the land through the early decades of the Republic. Mass emigration created a "Laz" diaspora across Turkey, until there were more people of Black Sea origin living in the greater Istanbul area alone than in the Pontic region itself.

*The region's fortunes only began to improve in the 1950s. The government-sponsored cultivation of **tea** (east of Trabzon) and **hazelnuts** (west of Trabzon) was a turning point. Prosperity returned in the last part of the 20th century, when the children of the region, having made their fortune elsewhere, began to return to the land of their birth and to reinvest their wealth at home – in the shape of jaunty apartment houses, proud smokestacks and exorbitant houses of worship which now blanket the Black Sea coast like a glorious mantle of economic success.*

CATHAY PACIFIC

Uzak Doğu'nun ödül'e doymayan ünlü Havayolu şirketi **"Cathay Pacific Airways"** İstanbul ile Hong Kong arası direkt sefer yapan tek hava taşımacılığı kuruluşu...

İstanbul ile Hong Kong arasındaki uçuşlarında, üstün konfor'a sahip ve teknoloji harikası Airbus A 340 uçaklarını kullanan Cathay Pacific, ayrıca çok avantajlı koşullar içeren **"Supercity"** paket programlarını da Hong Kong'u görmek isteyenler'e sunuyor...

Fly Cathay Pacific. The Heart of Asia

Supercity Paket Program Uygulaması:

Kişi başına yaklaşık 1195 dolardan başlayan fiyatlarla...

6 gece, 7 gün, Cathay Pacific ile gidiş-dönüş, geceleme ve kahvaltı...

Havaalanı otel arası transferler, Yumsing restorant ve bar indirim kartı.

Dönüşte 10 kg bagaj fazlası.

En İyi Havayolu Ödülü
Cathay Pacific Airways her yıl çeşitli uluslararası ödüller kazanmakta. 1999 yılında aldığı en önemli ödül, tüm dünyada yayınlanan **"Conde Nast Traveller"** dergisi okuyucularının verdiği **"Avrupadan Uzak Doğu'ya en iyi Business Class"** konusundaki birincilik...

Teknik Bilgiler:
Uçak Filosu; 59 uçak
Ortalama Uçak Yaşı; 4,5 yıl
Günde Taşınan Yolcu; 27.000 kişi/gün
Toplam Yıllık Uçuş Mesafesi;
145.000.000 milyon km/yıl

Uçaklarda tüm yolcuların kendilerine ait TV monitörleri bulunmakta...

Cathay Pacific ile İstanbul'dan direkt olarak uçacağınız, Çin'in parlak aynası olarak tanımlanan Hong Kong için vize gerekmiyor!

Geniş bilgi seyahat acentanızdan veya
Cathay Pacific ofisinden alınabilir
Tel: 0 (212) 219 21 23 Fax: 0 (212) 234 49 99

CATHAY PACIFIC

Laz, Hamsi, Kemençe

Laz dili Kafkas ailesine mensup, Gürcüce ile akraba bir dil *(bak sf 131-132)*. Lazca konuşan halk, geçmişte olduğu gibi bugün de Rize'nin doğusundaki beş ilçede - Pazar, Ardeşen, Fındıklı, Arhavi, Hopa - yaşıyor.

Karadeniz halkının tümüne küçümseyici anlamda "Laz" adı verilmesine MS 4. yüzyıldan itibaren rastlanıyor. Rumcanın Pontos lehçesini konuşan taşra halkına Bizans yazarları "Laz" sıfatını yakıştırmış. Daha sonra Türkler aynı deyimi benimsemiş. Rize ve batısında yaşayan Karadeniz halkının asıl Lazlarla kanıtlanmış bir köken ve akrabalık bağı yok.

Halen Yunanistan'da yaşayan yarım milyon dolayında Karadeniz kökenli Rum hakkında da "Laz" fıkraları anlatılıyor.

Hamsi (engraulis encrasicolus) dünyanın tüm denizlerinde rastlanan bir balık türü. İngilizcesi anchovy. Karadeniz'e özgü alt-türü Kuzey Karadeniz'in sığ sularında yumurtadan çıkıyor. Eylülde büyük sürüler halinde Romanya-Bulgaristan kıyıları üzerinden Karadeniz turuna çıkıyor. Kasım-Mart arasında Türkiye sahillerinde avlanıyor.

1980'lerden bu yana Karadeniz'in hamsi nüfusu önemli oranda azaldı. Güvenilir istatistikler bulamadık; ama izlenimlerimize göre halen Karadeniz bölgesinde çiftlik alabalığı rekoltesi hamsiden daha yüksek.

Kemençe Doğu Karadeniz'in kıyı kesiminin popüler müzik aleti. Türk müziğine 18. yüzyılda Avrupa'dan giren kemandan türemiş, ya da en azından etkilenmiş. İç bölgede davul-zurna, Hemşin ve Artvin'de ise tulum yaygın.

Horon (χορον) Rumca "dans, oyun" anlamına gelen bir kelime. Doğu Karadeniz bölgesinin en ünlü halk oyunu bu adla anılıyor.

Mısır Amerika kökenli bir tahıl. 16. yüzyıl ortalarından itibaren Türkiye'de ekildiği biliniyor. Sulak ortamda iyi sonuç verdiği için Karadeniz bölgesinde yaygın.

What Makes a Laz?

Inaccessible valleys among trackless mountains are the setting in which Pontic lifestyles have taken shape. Like mountain people all over the world, their inhabitants have a strong sense of clan loyalties. They are intense and proud people, quick to respond to any attack on their territory, honour or freedom. The manufacture and use of handguns is a passion. The demarcation of highland pastures among villages and communities sometimes generates hostilities that last for generations. But the same sense of territory and honour gives rise to an equally marked instinct of hospitality. An outsider who takes the trouble to visit these faraway valleys is automatically a guest and will be given the most cordial welcome.

The land is wild, but also fertile. Unlike the Anatolian interior where centuries of grinding poverty has shaped the culture, the Black Sea style tends to be merry, extroverted and colourful. The music is fast and boisterous, its words often risqu–, its rhythms utterly unlike the melancholy strains of most Turkish music. Wit and panache are appreciated, and eccentricity valued as a

character trait. At the eastern end, where everything that is specifically "Black Sea" gets more accented, one meets an extraordinary gallery of idiosyncratic individuals, with the glint in the eyes and the self-depreciating wit that are the Laz hallmarks.

The "real" **Laz** (mokhti Laz) live in the five townships east of Rize and speak a language of their own, unrelated to Turkish: they remain unknown to the broader Turkish public mind. For the average Turk, any Black Sea man is a "Laz". He is called either Temel or Dursun. He sports a majestic nose and speaks Turkish with an outrageous accent. His diet consists of **hamsi** *(Black Sea anchovies), cooked to the legendary one hundred recipes that include* hamsi *bread and* hamsi *marmalade, with maize bread and black cabbage to accompany. He dances a wild* horon *to the syncopated, manic tunes of his* **kemençe**.

His odd sense of humour makes him the butt of jokes. In most Laz stories Temel either pursues a wacky idea, or responds to situations with an insane non sequitur. The best ones contain a hint of self-mockery and it is not entirely clear whom the joke is on. The most brilliant Laz jokes are invented and circulated by the Laz themselves.

Keşan, Dolaylık, Poşi
Pontic Fashions

Peştemal ve **dolaylık**, Doğu Karadeniz kadınlarının milli giysisi. Giresun dolaylarından Rize'nin doğusunda Çayeli'ne kadar uzanan alanda giyiliyor.

Peştemal yapımında kullanılan kırmızı-beyaz-siyah taraklı geleneksel dokümanın adı **keşan** veya **keşanlı**. Vakfıkebir'in, Sürmene'nin, Çayeli'nin pazarlarında keşanlı peştemal giyinmiş yüzlerce kadın, Mayısta açmış gelincik tarlaları gibi unutulmaz bir görüntü sergiliyor.

Dolaylık modaları daha karmaşık. Renk tercihleri ilçeden ilçeye, vadiden vadiye değişiyor. Akçaabat'ın dolaylığı kırmızı beyaz çubuklu. Tonya'da tercih edilen renkler siyah-kahverengi, Sürmene'de kırmızı-siyah, Rize'de kavuniçi-lacivert. Ancak geleneksel modalar da (çağdaş

On a market day anywhere between Tirebolu and Çayeli (Rize), the streets will bloom like a field of May poppies with women wearing the keşan, the traditional Black Sea headdress of striped red cotton. A dolaylık of bolder stripes is worn over the skirt; its colours seem to vary by district – burgundy and cream is fashionable in **Akçaabat**, brown and black dominates in Tonya, black and red is preferred in **Sürmene**, while blue and orange is the mode in **Rize**.

These are the regional colours. Everywhere else in the country, a piece of keşan – whether worn discreetly as a scarf, or folded away as a piece of a bus-driver's accessories – will instantly give away the Black Sea connection. Yet it is a region of precise limits: East of Çayeli (the Laz region proper) a woman would not be caught dead in keşan-and-dolaylık style.

modalar kadar hızlı olmasa bile) değişken: Tonya ve Maçka'nın muhteşem siyah ipekli fermenesi 30-40 yıl önce tarihe karışmış; sahil kesiminin keşanlı giysisi in olmuş.

Çayeli'nin doğusunda peştemal-dolaylık memleketi birden sona eriyor. Pazar ve ötesinde "geleneksel" kadın giysisi kalmamış. Ardeşen pazarında rastladığımız peştemallı iki hanımın ise Rize'den misafir geldikleri ortaya çıkıyor.

Hemşin dağları apayrı bir alem. Hemşinli kadınlar kalın yün çorap ve diz boyu koyu renk etek giyiyorlar; başlarına altın ışıltılı **poşi** bağlıyorlar. İpekli eski zaman poşilerinin yerini son dönemde Suriye yapımı sentetikler almış.

Dağların ardında örtünme standartları daha değişik. Bayburt'ta kahverengi **ihram** tepeden tırnağa kadar – yüz dahil – tüm vücudu örtüyor. Kumaş yazın ipekli, kışın yünlü. Uzaktan çuval gibi dursa da, yakından bakıldığında harikulade incelikli bir doku.

The Hemşinese trend is something else again. The women of the **Hemşin** *highlands wear patterned woollen socks and knee-length black skirts, and crown themselves with a* poşi – *a silk scarf of black and gold or orange tied tightly around the forehead. Curiously enough,* poşi *material is not made locally but imported from Syria.*

Things grow more conservative as one travels to the interior. In **Torul** *and* **Gümüşhane**, *fashion-conscious women wear a sort of black nun's attire and cover their mouth with a piece of white gauze. In* **Bayburt**, *all women twenty years ago went around in sacks of brown silk or wool which cover the face as well as the body. Nowadays less than half of them do. In another twenty years' time, the women of Bayburt will probably be as uniformly boring in their imitation-Western garb as the men already are.*

Mani Makes the World...

Karadeniz kültürünün Anadolu'dan farkı özellikle halk şiiri ve müzikte belirgin. Aşağıdaki manilerin çoğunu **İsmet Zeki Eyüboğlu**'dan, birkaçını **Ömer Asan**'ın Pontos Kültürü adlı kitabından derledik. Sonuncusu Of yöresinden (bak. sf. 121).

The real fun of the Black Sea region lies in the altogether idiosyncratic Turkish (and sometimes not-so-Turkish) which is spoken there. Sorry, this is where our translator failed...

Arkamda sepetika
Gideyirum yaprağa
Bi turki demeyilan
Soktum seni toprağa

Su akar akarina
Yar keser makarina
He gız alurum seni
Gelursa çikarina

Armudi budakladum
Dallarini sakladum
Anasinun yaninda
Gızini gucakladum

Kapisinin öğunde
Portokal ağaşlari
Bi yuk odun yuklenur
Nazli yarun saşlari

Ayitladum tarlayi
Yüzgâr oni sallayi
Hanum bağla gocani
Yolcilara hırlayi

Belle bellemeleri
As tavana belleri
E gız dema nenene
Dişleduğum yerleri

Dağlar dağladi beni
Gören ağladi beni
Gağurun gıcuğazi
İpsiz bağladi beni

Evinde lüküs lamba
Kapisinda dayamba
Dişlesem memesuni
Bağırur mi acamba?

Bahçesinde domata
Yapsun oni salata
Vermedi seni boban
Turşi yapsun kerata

Of'un ardi Surmene
Gızlar giyen fermene
Fermenenun altinda
Beyaz gudukli meme

Aldi tabancasini
Güyam çakal vuracak
O beni vurdururse
Sora kimlan duracak

Gene geldi yazbaşi
Bağıruyi gugolar
Nenenila bobani
Alsun derin uykular

Oturduk mahabbete
Hapta deliganlilar
Seyir edeyi bizi
Hau gancuk garilar

Arkasindan aşağa
Saşlari katar katar
Yüzi berber aynasi
Ağzi şeftali satar

Endum derelerune
Bilmem nerelerune
Kaytan buyuklarumi
Sursem memelerune

Eğildi aldi koti
Köti görundi köti
Fadimun memeleri
Dersun kalayli kuti

Yedum kabak mancasi
Yüreğum bolanuyi
Lahana kostelleri
Karnumda dolanuyi

Yaylalar otli olur
Bekârlar dertli olur
Bekâr gızun memesi
Gaymaktan tatli olur

Karlanguş dala gonar
Yavri yuvada oynar
Fadim yiprandi gocan
Getur pazara onar

Derelerun sirğani
Yeni biteyi yeni
Yirilendi bellerun
Gız kim şüşürdi seni

Ayna duşti cebumden
Karişti gazellere
Tabiatum boyledur
Bakarum guzellere

E ğardel ya fiso me
Hiç u kseris to derdim
An u pero esena
Ha furçizo to kendim
("E oğlan bırak beni
Hiç bilmezsun derdimi
Eğer almazsam seni
Furaçağum kendimi")

yeni *Accent*

Geçiş Üstünlüğünüzü Kullanın

Internet: www.hyundai.com.tr • E-mail: info@hyundai.com.tr

CENAJANS

Ekstra güvenlik...Ekstra konfor...Ekstra kalite
ile yol sizin... Yeni Accent

Yeni Accent'i, dünya ile aynı anda İzmit'te ürettik ve Türkiye'ye
gururla sunuyoruz...
Dünyanın dört bir yanında, binlerce otomobil kullanıcısının "yeni binyılın
otomobili" adına isteklerini, beklentilerini araştıran Hyundai, yeni bir Sedan
otomobil yarattı: Yeni Accent! Yeni binyılın teknolojisiyle yaratılan ilk
gerçek Sedan Yeni Accent, sadece görüntüsüyle değil, her detayı
ile yeni baştan yaratılmış bir otomobil!

HYUNDAI ASSAN
HYUNDAI ASSAN OTOMOTIV SAN. VE TIC. A.Ş.
Hyundai Assan Bir Kıbar Holding Kuruluşudur.

HYUNDAI

Yayla On High Ground

Karadeniz'de "yayla" deyince ağaç sınırının üstü anlaşılıyor. Ortalama 1800 metrenin üzeri yayla.

Yayla sözcüğü aynı zamanda yayladaki yerleşim birimleri için kullanılıyor: Sultanmurat yaylası, Anzer yaylası gibi. Bunlar yazın oturulan, kışın boş kalan köyler. Orman kuşağındaki dağınık köylerin aksine genellikle derlitoplu yapıdalar. Evler bazen ahşap, bazen taş; çoğu zaman altı taş üstü ahşap. Toros yaylalarının aksine, çadırlı göçebeliğe Karadeniz'de hiç rastlanmıyor.

Karadeniz halkı tarihin eski çağlarından beri yazın yaylaya göçmüş. Yayla mülkiyeti köyler arasında ezelden beri en büyük ihtilaf konusu olmuş. Tonyalılarla Maçkalılar kuşaklar boyunca Kadırga yaylası için çarpışmışlar. Kaçkar eteğindeki Davalı Yayla, Hemşinlilerle Yusufelililer arasında yüz küsur yıldan beri mahkemelik.

The tree limit in most parts of the Black Sea mountains is around 1800 metres above sea level. Over that is the yayla, *the region of vast rolling pastures which stay covered with snow for more than half of the year, and sunk in fog for a good part of every day the rest of the time.*

Since time immemorial Black Sea people have migrated each summer to the yayla, *both to escape the humid heat of the lowlands and to let the cows take advantage of the fresh grass. Each valley and town owns its* yayla *settlements – summer villages that stay empty nine or ten months of the year.* Yayla-*ownership is a serious matter. Claims are often backed by imperial writs going back many centuries. Townships have gone to war in the past over* yayla *rights, as in the case of* **Tonya** *and* **Maçka**. *One particular* yayla *below the* **Kaçkar** *Mountain has been the object of a court case extended over a century.*

Yayla mevsimi Haziran-Ağustos. Her hafta ayrı bir yaylada şenlik oluyor: alkol ve horonun kontrolden çıktığı, dionisyak törenler. Tipik yayla kokusu ıslak toprak, inek gübresi ve isli çıra karışımı. Bağımlılık yapan, sarhoş eden bir koku.

Köy isimleri Türkçeleştirilirken, yayla isimleri — mevzuat boşluğundan ötürü — nasılsa unutulmuş. Giresun ve Trabzon'da yayla isimlerinin hemen hepsi Rumca. Rize yaylalarının çoğu Ermenice. Artvin'dekiler Gürcüce.

*The feast of **Hızır İlyas** (St George to the Greeks, on 6th of May) is the traditional opening of the yayla season. People feast and make merry on that day. The migration begins in earnest in June. Celebrations are held in each yayla in turn, culminating with the greatest of festivities on or around August 15th. These are rowdy rites: the horon and the alcohol are traditionally allowed to get out of control, and handguns are fired indiscriminately, usually into the air.*

The yayla smell – a mixture of wet grass, cowdung and sooty firewood – is the most unmistakable of all Black Sea sensory experiences. A traveller who hasn't smelled it cannot really say he has been to the Black Sea. A traveller who has, is likely to come back for more.

Lufthansa Biletsiz Uçuruyor!

"Acente kapanmadan biletimi aldırmalıyım, kurye bileti getirmedi mi daha, biletim nerde, yanıma almadım mı yoksa, eyvah çalındı mı, kaybettim galiba..." Lufthansa tüm bunlara son veriyor.

Biletle Uğraşmayın!

Türkiye'de ilk defa Lufthansa'nın sunduğu elektronik rezervasyon ve bilet işlemi sayesinde uçak bileti almak için uğraşmıyorsunuz. Çünkü elektronik bilet ETIX® sayesinde bir telefonla biletsiz uçaktasınız!

ETIX® rezervasyonunuzu acentenizden veya havaalanındaki Lufthansa bilet satış noktalarından yaptırabilirsiniz. Lufthansa Miles&More kartınızın veya kredi kartınızın numarasını vermeniz yeterli. Ödemeyi peşin de yapabilirsiniz kredi kartıyla da. Uçuş bilgileriniz rezervasyondan hemen sonra size fakslanıyor.

Tek İhtiyacınız Biniş Kartınız!

Havaalanına vardığınızda rezervasyon için kullandığınız kartı Lufthansa check-in noktalarına gösterip biniş kartınızı alıyorsunuz. Aynı noktadan, güncel seyahat bilgileriniz, uçuş ücreti, havaalanı güvenlik ve servis ücretlerini içeren bir yolcu belgesi de veriliyor.

Hiç Beklemeyin!

ETIX® sayesinde check-in için zaman kaybetmiyorsunuz. Almanya'daki hemen hemen tüm havaalanlarında ve bazı Avrupa ülkelerinde otomatik check-in makinelerinden kendiniz check-in yapabilirsiniz!

ETIX® ile uçak yolculukları şimdi çok daha rahat. Nereye uçacağınıza karar verin yeter!

Ayrıntılı bilgi için Lufthansa ofislerine başvurabilir veya internet sitemizi ziyaret edebilirsiniz. www.lufthansa.com.tr

Adım Adım Karadeniz
Routes and Sights

Kitabın gezi kısmı dört bölümden oluşuyor. Birincisi İstanbul'dan Trabzon'a. İkincisi Trabzon ve Doğusu. Trabzon'un doğusunda olmakla birlikte özellik arzeden iki bölgeye ayrı birer bölüm açtık: Hemşin ve Artvin.

Yer başlıklarında, batıdan doğuya coğrafi sıra izledik. Herhangi bir nedenle gezginin ilgisini çekebileceğini düşündüğümüz tüm kent, kasaba ve köylere birer başlık ayırdık. Tarihi ve doğal güzellikleri öncelikle hesaba kattık; ancak konaklama ve ulaşım faktörlerini, anlatmaya değer anekdotları da gözönüne aldık. Tüm il merkezlerine — ilginç olsun olmasın — yer verdik. Ama ilgi çekici bir yönünü bulamadığımız kasabalar ve taşra tipi mesire yerleriyle kitabı boşuna doldurmamaya gayret ettik.

Yatak [🛏] simgesi altında her kent ve kasabanın en düzgün bir-iki otelini not ettik. Bizzat deneyip, güzel, temiz, rahat ve canayakın bulduğumuz diğer konaklama tesislerini ayrıca belirttik.

Yemek [🍴] başlığı altında, bir tarihte keyifli bir yemek yediğimiz (ya da dostlarımızın bize anlattığı) lokantalara yer verdik. Eminiz bunlar gibi daha yüzlercesi vardır.

*The travel section of the book is divided into four chapters. The first chapter covers **Istanbul to Trabzon**. The second is called **Trabzon and East**. The interesting sub-regions of **Hemşin** and **Artvin** get their separate chapters although they, too, are located east of Trabzon.*

The itemized entries follow a geographical order from west to east. All towns and localities of any conceivable interest to the traveller are given an entry. Province capitals are included whether interesting or not.

*The **bed** sign 🛏 heads a list of recommended accommodations. Attractive, charming inns are noted where they exist (which is not very often); otherwise we list a couple of decent hotels for each locality.*

*The **restaurant** icon 🍴 signals a few recommendations picked for convenient location, pleasant setting, nice smile etc., in addition to the quality of food. True regional fare is extremely hard to come by except in out-of-the way highland resthouses, but there seems to be a recent trend for good restaurants in coastal towns to enliven their menu with a few regional favourites like muhlama, pazı dolması or maize (corn) bread.*

1. İstanbul'dan Trabzon'a

İstanbul Trabzon arası yaklaşık 1100 km. İstanbul-Samsun etapını Gerede-Tosya-Merzifon üzerinden 8 saatte almak mümkün. Geriye kalan 350 km sahil yolu yoğun trafik nedeniyle en az 7 saat sürüyor.

Yolda oyalanacak vakti olanlar için akılda tutmaya değer yerler **Safranbolu, Amasra, Amasya** ve **Şebinkarahisar**. Sahil yolunun **Amasra-Sinop** ve **Ünye-Trabzon** kesimleri virajlı ancak doğal güzellik açısından zengin. **Azdavay-Cide, Devrekani-Çatalzeytin, Reşadiye-Fatsa, Şebinkarahisar-Giresun** ve **Torul-Tirebolu** dağ geçitleri etkileyici panoramalar sunuyor.

Bizim tercih ettiğimiz üç günlük bir güzergah şöyle:
1. Yedigöller, Safranbolu.
2. Kastamonu, Amasya.
3. Şebinkarahisar, Giresun. Gece Trabzon.

Denize daha yakın olmak isteyenler için:
1. Safranbolu, Amasra.
2. İnebolu üzerinden Sinop.
3. Sahilden Trabzon.

1. Istanbul to Trabzon

The Istanbul to Trabzon distance is approximately 1100 kilometres. It is possible to drive Istanbul to Samsun in 8 hours via Gerede-Tosya-Merzifon. Reckon at least 7 hours for the remaining 350 kilometres of coastal drive because of dense traffic.

Along the way, **Safranbolu, Amasra, Amasya** and **Şebinkarahisar** deserve a detour each. The **Amasra-Sinop** and **Ünye-Trabzon** stretches of the coastal road are curvy and slow but highly scenic. **Azdavay-Cide, Devrekani-Çatalzeytin, Reşadiye-Fatsa, Şebinkarahisar-Giresun** and **Torul-Tirebolu** mountain passes offer splendid panoramas.

Here is a practicable three-day itinerary:
1. Yedigöller, **Safranbolu**.
2. Kastamonu, **Amasya**.
3. Şebinkarahisar, Giresun, **Trabzon**.

Or try this if you like to stay closer to the sea:
1. Safranbolu, **Amasra**.
2. İnebolu, **Sinop**.
3. Coast road to **Trabzon**.

Ağva

İstanbul 110 km. TEM otoyolundan Ümraniye-Şile; sonra Kabakoz-İmrenli üzerinden çok virajlı yol.

110 km NE of Istanbul. Follow TEM highway exit to Şile; then narrow and curvy road via Kabakoz-İmrenli.

İstanbul'a iki saat uzaklıkta, Karadeniz'e ideal giriş noktası. Son yıllarda ardarda açılan "alternatif" konaklama tesisleri sayesinde İstanbullu doğa ve yürüyüş meraklılarının gözdesi oldu.

Kasabadaki iki dereden batıda olanı Göksu: tropik nehirleri anımsatan bir yayvanlık ve yeşilliğe sahip. Kano ve motorla keşif gezilerine çıkılıyor. İyi balık tutuluyor. Uçsuz bucaksız Ağva-Kurfal plajından başka, yakın mesafede hayli bakir birkaç ufak kumsal daha var.

Kasaba ufak, uyuşuk, kendine özgü bir sevimlilikten yoksun değil. Köy merkezinin dere üzerinde olması ayrı bir hava veriyor.

Üsküdar İskele meydanından Ağva'ya saat başı belediye otobüsü kalkıyor.

*Ağva is a small and quiet town, which owes its charm to its riverside setting. It has a good beach of fine sand and several unspoiled coves nearby. They make for an excellent (and uncrowded) weekend escape from Istanbul and a good place to start a Black Sea tour. A little mediaeval fortress dates from the Genoese, who called this place simply **Acqua**.*

*A second river 1 km to the west, called **Göksu** ("Bluewater") although its water is usually deep green, flows unhurriedly through some surprisingly uncharted forest and wild parkland. Several attractive lodgings set on this river serve fishing, canoeing and hiking enthusiasts from Istanbul.*

An hourly city bus serves Ağva from the Üsküdar boat landing.

 Liman Restaurant. Limanda. Tel: (0216) 721 8199.

 Paradise. Dereden kayıkla ulaşılıyor. Biraz hayal gücüyle, Amazon cangılında bir nehir kampı. İstanbul'un yanıbaşında, umulmadık bir yer. Tel: (0216) 721 8577. **Acqua Verde**. Modern country tasarımlı, şık, küçük otel. Sempatik bir genç çift yönetiminde. Tel: (0216) 721 7143. Ayrıca **Kurfal Hotel**. Kadın eli değmiş, özenli, sempatik otel. Tel: (0216) 721 8493.

Liman Restaurant *at the harbour serves very fresh fish at reasonable prices.* Tel: (0216) 721 8199.

Paradise. *A log house and bungalows set on the riverbank, with no modern intrusion in sight.* Tel: (0216) 721 8577. **Kurfal Hotel**, *refurbished in loving detail by a brother-sister team, is nearer the beach and more comfortable.* Tel: (0216) 721 8493. **Acqua Verde**, *brand new and stylish, is set in a large tree-shaded garden by the river.* Tel: (0216) 721 7143.

Akçakoca

İlçe merkezi. Düzce 37 km. / 37 km N of Düzce.

Eski mimarisini biraz korumuş, nisbeten şirin bir kasaba. Çevresinde popüler plajlar var.

Akça Koca (ö. 1326) Osman Beyin müttefiki ve vasali olarak bu tarafları fethetmiş. Kandıra'dan Ereğli'ye uzanan alanda yarı müstakil beylik etmiş.

Kocaali'den sonrası "gerçek" Karadeniz. Denize dik inen fındık ormanıyla kaplı dağlar, bayır başına kondurulmuş mahalleler, sırtı sepetli kadınlar burada başlıyor.

The "typical" sights of the Black Sea coast begin east of **Kocaali**: *hazelnut groves drop perpendicularly to the sea; villages are strung crazily along hillcrests; women carry enormous wicker baskets on their back.*

Akçakoca is a relatively attractive town that has managed to keep some of its old brick-and-wood architecture. A popular beach stretches for miles east of the town.

The eponymous **Akça Koca** *("Whitebeard") was a companion-at-arms of Osman Bey, the founder of the Ottoman dynasty. He raided the region between Kandıra to Düzce, and ruled it as a semi-independent lord in the early years of the 14th century.*

 Mesen Hotel. Yüzlerce dönüm fındık bahçesi içinde tek başına, deniz kıyısında küçük otel. İstanbullu kültürlü bir aile işletiyor. Altyapı biraz aksak, servis içten. 4 km batıda. Tel: (0374) 611 4436.

Mesen Hotel *is run by a cultivated urban family in lackadaisical but friendly style. Wonderful location on isolated cove encircled by hazelnut forest 4 km W of town. Tel: (0374) 611 4436.*

Konuralp

Düzce 9 km. / 9 km N of Düzce.

ski adı Üskübü. **Antik Prusias ad Hypiam** kentinin harabeleri yeni yapılaşmayla içiçe. Roma tiyatrosu sağlam. Üst basamaklarına apartmanlar yapmışlar.

Üskübü'den çıkan Bereket Tanrıçası heykelini görmek için İstanbul Arkeoloji Müzesine uğramak şart. Türkiye'deki en mükemmel antik çağ heykellerinden biri. İpekli krep dokusunu mermerle vermişler. Başyapıt.

This town, formerly called Üskübü, is built over the ruins of ancient **Prusias ad Hypiam.** *Some private houses sit directly over the partially preserved cavea of the Roman theatre.*

The most dazzling single piece of Roman sculpture found in Turkey, the statue of **Tyche,** *now in the Istanbul Archaeological Museum, was discovered here.*

Bereket tanrıçası
Statue of Tyche.

Yedigöller Milli Parkı
Yedigöller National Park

Bolu 36 km. Bolu-Yığılca yolu 19. km'den işaretli yol ayrımı.
Devamı stabilize.

36 km NE of Bolu. Signposted turn 19 km N of Bolu (dir. Yığılca); gravel road to Park.

Kartpostal ormanları içinde yedi küçük göl. Doğa muhteşem. Ortam mesirelik. Yazın hafta sonları anababa günü. Yarım saatlik güzel yürüyüşle Anıt Çamlara ulaşılıyor.

Giriş ücretli. Toprak yol 40 km kadar devamla Mengen-Devrek karayoluna varıyor. Güzel orman yolu. Mayıs ve Ekimde olağanüstü.

A region of outstanding natural beauty and a perpetual source of inspiration for Turkey's postcard industry. The name ("Seven Lakes") refers to a series of natural ponds surrounded by deciduous forest. The colours are spectacular in autumn, but the crowds may get overbearing on summer weekends.

A forest road continues ca. 40 km to the Mengen-Devrek route across virgin and very scenic country.

 Yedigöller **Orman İdaresi Bungalowları**'nda (biraz çabayla) kalınabilir. Tel: (0374) 215 3613, 212 5460.

The Forest Administration has some bungalows for rent within the park area. Tel: (0374) 215 3613, 212 5460.

Ereğli

Nüfus 75,000. Zonguldak 60 km. / Pop: 75,000. 60 km W of Zonguldak.

Tüm Ereğli'ler (ve çoğu Erikli'ler) gibi asıl adı **Heraklia**. Efsane kahramanı Herakles'in adını taşıyor. Yani Herkül.

Herkül Argo gemisiyle Altın Post seferindeyken, çok yakın arkadaşı Hylas bu mevkide erkek delisi orman perileri tarafından kaçırılmış. Saatlerce haykırarak talihsiz genci aramışlar. Karanlık basarken demir alıp yola devam etmek zorunda kalmışlar.

Şimdi demirçelik fabrikası ünlü. 1960-65'te Amerikan yardımıyla kuruldu. Fikir babası Fatin Rüştü Zorlu: Menderes'in dışişleri bakanı.

The name (like three other Ereğlis around Turkey) is a corruption of **Heracleia**. *Hercules, according to Greek legend, went underground here in order to steal Cerberus, the Black Dog of Hades. The twin caves where he made his entrance to the Underworld are located on the north edge of the town. One is still called* **Cehennemağzı** *("Hell's Mouth"); the other one has the scant remains of a Greek chapel in it.*

Ereğli is otherwise known for its steelworks, a vast industrial complex which produces over half of Turkey's steel and iron output.

Zonguldak

İl merkezi (67). Nüfus 106,000. İstanbul 331 km.

Capital of province (67). Pop: 106,000. Istanbul 331 km.

Kömür kenti. 1829'da Uzun Mehmet isimli köylünün keşfettiği taşkömürü cevheri sayesinde büyüyüp gelişti. Türkiye taşkömürü üretiminin üçte ikisi Ereğli-Zonguldak havzasından çıkıyor. Taş Kömürü İşletmesi (TKİ) tarafından işletiliyor. Havzanın tümü Osmanlı döneminden beri özel bir kanuni statüye bağlı. Son yıllara dek bölgede normal tapu verilmiyordu. Şimdi veriliyor.

İnsan eliyle yapılanların yanısıra, Türkiye'nin en önemli doğal yeraltı galerileri de bu yörede. Çatalağzı Cumayanı mahallesindeki **Kızılelma mağarası** 10 kilometreye kadar izlendi. **Çayırköy mağarasının** daha da uzun olduğu sanılıyor. Turistik yerler değil: tecrübe ve ekipman gerekiyor.

Zonguldak is the centre of Turkey's principal coal mining region. Surprisingly it is a rather pleasant city with neat tree-lined streets that curve wildly about the roller-coaster topography. The Coal Administration (TKİ) runs practically everything in town as well as the galleries that burrow hundreds of miles into the bowels of the earth.

*Some of Turkey's most spectacular natural caves are located nearby. The **Kızılelma Cave** in the Cumayanı section of Çatalağzı has been explored to a depth of 10 km. The **Çayırköy Cave**, halfway between Çatalağzı and Çaycuma, is said to go even deeper. Neither cave is accessible to the casual sightseer.*

 Hotel Emirgan (3*) Yüksek kayalık üstünden denize hakim modern otel. Plaj yakın. Tel: (0372) 253 1401. 22 km doğudaki Hisarönü (eskiden Filyos) kasabasında daha sempatik bir-iki motel var.

Hotel Emirgan *(3*) Modern hotel with sea view. Tel: (0372) 253 1401. There are some simple and pleasant accommodations in **Hisarönü** (formerly Filyos) 22 km. east.*

Bartın

İl merkezi (74). Nüfus 35,000. İstanbul 420 km.
Capital of province (74). Pop: 35,000. Istanbul 358 km.

Antik adı Parthenion. Bakire tanrıça Athena'ya izafeten, Bakirekent.

Başlıca atraksiyon Salı ve Cuma günleri kurulan **Garıla Pazarı.** Tüm satıcılar gadın ve gız olduğu için bu adı taşıyor. Bol çeşit sebze, manda yoğurdu ve görülmedik mantar çeşitleri bulunuyor.

The ancient name of Bartyn was **Parthenion,** *apparently a reference to the virgin goddess Athena (Parthenos is Greek for virgin).*

The main attraction of the town now is the **Women's Market,** *which is held on Tuesdays and Fridays with an all-female sales force offering a delightful range of fresh produce, dairy products, unusual mushrooms and homemade bread.*

Garıla pazarı / Women's market, Bartın.

Fırıncıoğlu (Bartur) Hotel (3*)
Türkiye'nin en iyi benzinhane oteli. Düzgün, modern. Zonguldak yolu 7. km. Tel: (0378) 237 6228.

Fırıncıoğlu (Bartur) Hotel *(3*) Good modern hotel attached to a service station. 7 km W of town on the Zonguldak road. Tel: (0378) 237 6228.*

Amasra

Nüfus: 6,000. Bartın 16 km. / Pop: 6,000. 16 km N of Bartın.

Eskiden olağanüstü güzellikte bir kasabaydı. Doğal konumu hala çarpıcı. Ancak kent dokusu son 30 yılda mahvedildi. Deniz, girilmeyecek kadar kirli.

En unutulmaz yanı dağ yolundan gelirken aniden ortaya çıkan manzara. Kent, iki yanında birer körfez bulunan bir yarımada ile onun ucundaki ikinci bir yarımada (Boztepe) üzerine kurulu. Her iki bölüm kısmen ayakta kalan Bizans ve Ceneviz surlarıyla çevrili. İç kalede Cenova kentinin haçlı arması görülüyor. Rumlardan kalma bir-iki kilise harabesi var. Bizans kökenli olan bir tanesi, Fatih zamanında cami olmuşmuş gerekçesiyle yeniden cami olarak onarılıyor.

Amasra occupies a steep little peninsula flanked by two deeply indented harbours. A Roman bridge connects the main part of the town to an islet, which is fortified, like the town itself, by mediaeval walls. Coming down from the mountain road, it is a spectacular view. The town itself, however, does not live up to its promise. There are plenty of old cobblestone lanes and a few derelict Byzantine churches inside the citadel, but the overall picture has been marred by too much shoddy new construction. Both harbours are pleasant enough to stroll along, but the sea is too polluted for swimming.

 Bol, ucuz, taze balık. Limandaki lokantalardan **Canlı Balık** (Mustafa Amcanın Yeri) ve **Çeşmi Cihan** tavsiye ediliyor.

*The harbour restaurants serve good fresh fish at very low prices. **Canlı Balık** ("Live Fish") and **Çeşmi Cihan** ("Eye of the Universe") come recommended.*

 Birkaç berbat pansiyon ve ucuz otel dışında kalacak yer yok. En iyisi **Amastrist Motel**. Eski Demir-Çelik kampı. Tel: (0378) 315 2465.

*Good accommodations are hard to come by. Of several basic establishments **Amastrist Motel** appears to be the best. Tel: (0378) 315 2465.*

Amasra...

Tarih

Kenti kurup adını veren kraliçe **Amastris** Büyük İskender tarafından yenilen İran Şahı III. Darius'un yeğeni iken, galip tarafa iltihak edip onların seçkin çevrelerine katılmış. Ereğli hükümdarı Dionysios ile evlenmiş. Kocasının ölümünden sonra oğlu adına hüküm sürerken onun tarafından katledilmiş (MÖ 288).

Romalı yazar Genç **Plinius**'un Bithynia valisi iken imparator Traianus ile Amasra lağımlarının ıslahı üzerine yaptığı yazışma ünlü. Plinius'un MS 110 yılı dolayında inşa ettirdiği kesme taşlardan yapılmış tünel hala kısmen görülebiliyor.

13.-15. yüzyıllarda Amasra Ceneviz kolonisi olmuş. 1461'de **Fatih Sultan Mehmet** tarafından zaptedilmiş. Fatih bu vesileyle sadrazamına dönüp "Lala, çeşmi cihan bu mı ola?" demiş. Yani beğenmiş.

History

*The ancient city of Sesamus was renamed in the 4th century BC in honour of queen **Amastris**, who was born a Persian princess, married several of Alexander the Great's officers in succession, was widowed by the ruler of Heracleia Pontica, and eventually murdered by her own sons. **Pliny the Younger** served here as Roman governor; his correspondence with Emperor Trajan (98-117 AD) about the improvement of the city's sewers is extant. The stone tunnel that he caused to be built is still visible in parts.*

*Amastris became a **Genoese colony** in 1261 and remained so until taken by the Ottomans 200 years later. The Genoese cross and the Visconti coat-of-arms can be seen on many parts of the city walls.*

Ceneviz / The Genoese

1204 yılında Venediklilerin organize ettiği Haçlı seferi İstanbul'u zaptedip Bizans devletini çökertti. Yarım yüzyıl sonra Bizans soylularından Mihail Paleologos, Venedik'in baş düşmanı olan Cenova Cumhuriyeti ile Nif (şimdiki İzmir Kemalpaşa)'da anlaştı. Cenevizliler İstanbul'un Rumlarca yeniden fethinin finansmanını üstlendiler; karşılığında Karadeniz ticareti tekelini aldılar.

İstanbul'un Rumlar tarafından yeniden zaptından kısa bir süre sonra, kentin karşısındaki Galata'da bağımsız bir Ceneviz kolonisi kuruldu; surlarla ve Galata Kulesi ile tahkim edildi. Aynı yıl, bellibaşlıları Amasra, Samsun, Trabzon ve Kefe'de olmak üzere Karadeniz kıyıları boyunca müstahkem Ceneviz üsleri inşa edildi. Daha sonra Midilli ve Sakız adaları da Cenova'ya verildi.

1453'te yalnız kalan Bizans'ı bir tek Cenova destekledi. Venedik el altından Türklere destek verdi. İstanbul'un fethinden sonra Ceneviz imparatorluğu çöktü. 1458'de borçlarını ödeyemediği için şehir Fransız idaresine girdi. 1490'da Milano'ya satıldı.

Halk arasındaki yaygın kanının aksine Türkiye'de olur olmaz her yerde "Ceneviz kaleleri" yok. Sadece Karadeniz ve Kuzey Ege kıyısı boyunca stratejik limanlarda var.

races of the Ligurian republic are everywhere around the Black Sea, as well as in parts of the northern Aegean. To the popular Turkish mind any unexplained piece of ancient masonry is likely to be Genoese, and a person with too many tricks up his sleeve deserves the adjective "ciniviz".

*It all goes back to the times when the ailing Byzantine Empire, driven to the brink by Venice, turned to the rival Italian city for help. Constantinople was recaptured from the Venetian allies in 1261 with Genoese aid. In exchange, Byzantium had to suffer the indignity of a walled Genoese colony in **Galata,** just across the harbour of Constantinople and practically looking down upon the imperial palace. The Genoese were granted a monopoly of Black Sea trade, and allowed to set up fortresses and strongholds wherever they saw fit to secure their trading routes. Sovereign Genoese colonies came into existence in **Amasra, Samsun, Caffa** (northern Black Sea), and on the Aegean islands of **Lesbos** and **Chios**.*

The republic kept its commercial stranglehold on Byzantium to the very end. The fall of Constantinople in 1453 marked its own demise. In 1458 Genoa went bankrupt and was taken over by the French (who have kept the island of Corsica out of that deal). In 1490 it was sold to the Duchy of Milan, and old Genoese seafaring families like the Colombos had to go elsewhere to seek employment. The Eastern colonies were taken up by the Ottoman Empire in exchange for some minor trading concessions.

Kurucaşile

Amasra 32 km. / 32 km E of Amasra.

Karadeniz'de ahşap tekne yapımcılığını sürdüren tek liman. Çoğu evin altı tersane. Çağdaş teknolojiye çok yüz vermeden, sanatkarca çalışıyorlar.

Amasra'nın doğusunda sahil yolu son derece dik, virajlı, yeşil. Gözalıcı koylar birbirini izliyor. En güzellerinden biri Kurucaşile'nin 15 km ötesinde **Aydınköy** (Gideros) Limanı. Ormanlı tepelerle çevrili harikulade bir koy. Bir-iki basit balıkçı lokantası var.

Kurucaşile is only Black Sea town where old-style wooden fishing vessels are still made. Many houses have a boatyard where craftsmen work with chestnut and fir, and little regard for modern technology.

*The road east of Amasra follows an extremely curvy and panoramic corniche. 15 km east of Kurucaşile is the attractive harbour of **Aydınköy** (formerly Gideros), where a couple of simple fishermen's restaurants serve fresh seafood.*

 A Oteli. Kurucaşile'de tek. Tel: (0378) 518 1463.

A Hotel *in Kurucaşile, reasonable. Tel: (0378) 518 1463.*

Uluyayla

Safranbolu 50 km. Ovacuma kasabası içinden Orman Kampı 23 km (13 km asfalt, sonra bozuk). Eflani'den yaklaşık 25 km bozuk yol.

50 km N of Safranbolu. Go through Ovacuma town; 13 km paved road, then 10 km gravel to the reservoir. Alternative route from Eflani, ca. 25 km.

Muhteşem köknar ormanları, temiz hava. Zamana direnen ahşap yayla evleri: tek tük.

Asıl Uluyayla denilen yerde Orman İdaresi kampı ve gölet var. 15 Ağustosta anababa günü şenlik yapılıyor. Buradan Akçakese köyü yoluyla 2-3 saatlik güzel bir orman yürüyüşü yapmak mümkün.

Magnificent forests of fir and spruce cover the higher altitudes between Zonguldak and Sinop. Uluyayla, a highland region of a dozen old-timber-house villages, is a good place to enjoy the unspoiled scenery. A clearing in the forest with a natural spring and a reservoir is the site of popular festivities held on August 15 each year. A forest path, which leads from the Forestry Department camp here, can be used for a good 3-hour hike.

Safranbolu

Nüfus 31,000. Otoyol Gerede çıkışından 90 km.
Pop: 31,000. 90 km NE of Gerede motorway exit.

Geleneksel Anadolu mimarisinin en iyi korunmuş örnek-kenti olarak Safranbolu haklı bir üne sahip. Harikulade güzellikte eski konaklardan 150 kadarı ayakta kalmış. Mahalle dokusu oldukça hasarsız korunmuş. Restorasyona Çelik Gülersoy'un Turing Kurumu önayak oldu. Antalya Kaleiçi bir yana bırakılırsa, Türkiye'de bugüne dek kentsel sit koruması alanında başarılı sayılabilecek tek örnek.

Birkaç eski konak "müze ev" olmuş, gezilebiliyor. En ünlüsü **Kaymakamlar Konağı**. Asıl başyapıt **Asmazlar Konağı**: halka açık değil. İstisnaen gezdiriyorlar. Üst katta kesme taştan büyük havuzu var.

10-15 kadar konak, pansiyon/konukevi olarak restore edildi. Biraz tekdüze ve steril olmakla beraber, görmeye

*The wattle-and-daub houses of Safranbolu constitute the most famous surviving collection of Ottoman vernacular architecture in Turkey. Some 150 historic houses, mostly from the last part of the 19th century, stand in a town whose central area has withstood the ravages of the age with unusual success. The town texture remains quite intact, full of walled gardens and cobblestone lanes. With the delightful **Arasta** (artisan's market), recently revived, they make a very satisfying example of what a historic Turkish town should really look like.*

*The Touring Club of Turkey has pioneered some restoration that has spruced up the town without turning it (yet) into a theme park. Several houses – notably the **Kaymakamlar Konağı** – have become museums. Others, lived-in and unrenovated, can sometimes*

ve yaşamaya değer mekanlar.

Tarihi evlerin hemen hepsi 1880-1910 yıllarında inşa edilmişler. Türkiye'nin her yerinde akla gelen soru burada da beliriyor: Daha önce hiç mi güzel ev yapılmamış? Yoksa son güzel evler bu devirde yapıldığı için ayakta onlar mı kalmış? Herhalde birincisi. Ciddi bir araştırma yok.

Tek ilgi konusu eski evler değil. Çarşı içi de son derece otantik. **Yemeniciler Arastası** mükemmel. Deli İbrahim'in psikiyatristi olan ünlü **Cinci Hoca** (ö 1648) buralıymış. Güzel bir hanla hamam yaptırmış. Hamam hala işliyor; han yıllardır restorasyonda. Otel olacakmış.

Kentin eski ismi **Dadybra**. Türk fethinden sonra Zâlifre olmuş. 18. yüzyılda Zağfiran-borlu adı gözüküyor. Borlu/bolu eki "hisarı olan" anlamında. Frenkçe burg/burgh/borgo kökünden.

*be visited by permission. One worth trying is the **Asmazlar House**, which has a first-floor stateroom built around an indoor pool, and preserves fascinating details old Turkish indoor life.*

*A dozen or so historic houses have become hotels. A 17th century caravanserai (the **Cinci Hanı**) is being renovated for the same eventual purpose.*

Safranbolu translates as "Saffronburgh". Saffron, a bulbous plant cultivated for an intense yellow dye that is also used as a foodstuff, was the town's main product in Ottoman times.

 Şehzade Sofrası. Kuyu kebabı ünlü. Tel: (0370) 712 5657.
Arasta içindeki **Boncuk Café**, ayaküstü kahve ve snack için uğranacak yer. Tel: (0370) 712 0067.

 Güzel restore edilmiş konak-otellerin sayısı her yıl artıyor.
En iyileri: **Tahsin Bey Konağı**. Tel: (0370) 712 6062. **Selvili Köşk**. Tel: (0370) 712 8646. **Hatice Hanım Konağı**. Tel: (0370) 712 7545. **Mehveş Hanım Konağı**. Tel: (0370) 712 8787. **Kadıoğlu Şehzade Konağı**. Tel: (0370) 725 2762. En eskileri Turing Kulübüne ait **Havuzlu Konak**. Tel: (0370) 712 3824. Bir kademe daha ucuz, ama güzel: **Teras Otel**. Çarşı Meydanı. Tel: (0370) 725 1748.

*Şehzade Sofrası is famous for its pit-roasted lamb. Tel: (0370) 712 5657.
Boncuk Café, in the arasta, is a good place for snacks. Tel: (0370) 712 0067.*

*Hotels located in restored historic houses include **Tahsin Bey Konağı** (0370) 712 6062, **Selvili Köşk** (0370) 712 8646, **Hatice Hanım Konağı** (0370) 712 7545, **Mehveş Hanım Konağı** (0370) 712 8787, **Kadıoğlu Şehzade Konağı** (0370) 725 2762, and the Touring Club's own **Havuzlu Konak** (0370) 712 2883. **Teras Otel** is one notch down but quite nice. (0370) 725 1748.*

Cinci Hoca / Cinci Hoca

Asıl adı Karabaşzade Hüseyin Efendi. Seçkin bir entelektüel ailenin evladı. Süleymaniye medresesinde yüksek tahsil yaparken ruhlar alemiyle ilgilenmiş. Sultan İbrahim tahta geçince, padişahın bozuk olan ruhsal dengesini düzeltmekle görevlendirilmiş. Yanısıra, o güne dek kadın yüzü görmemiş olan talihsiz hükümdarı Osmanlı soyunu sürdürmeye ikna etme görevini üstlenmiş.

İkinci işte tahminlerin ötesinde başarılı olmuş. Çeşitli macunlar ve müstahzaratla takviye edilen İbrahim, iflah olmaz bir kadın delisine dönüşmüş. Vezirlerden valilere kadar tüm devlet erkanı kendisine güzel cariyeler takdim etmek için seferber edilmişler. Performans-ı şahaneyi artırmak için padişahın amber yemesi tavsiye edilmiş. Sarayın amber tüketimi o kadar artmış ki özel Amber Vergisi ihdas edilip "cebren ve kahren" tahsiline kalkışılmış.

Hoca bu işten yüklüce bir servet edinmiş. 1648'de İbrahim devrilip oğlu başa geçince, yeniçeriye ödenmesi mutad olan cülus bahşişini karşılayacak para devlet hazinesinde olmadığı için Hüseyin Hocaya başvurulmuş. "Tazyik edilerek" mal beyanı alındıktan sonra, kendine gelemeyecek kadar hasta olduğu tesbit edilerek kafası kesilmiş. IV. Mehmed'in askere dağıttığı 1,920,000 duka altını bahşiş (23,5 ayar yaklaşık 7 ton altın) Hocanın nakit servetinden karşılanmış. Gayrımenkulleri ayrıca zaptedilmiş.

The most famous son of Safranbolu was the 17th century scholar Karabaşzade Hüseyin Efendi, better known to the Turkish public as Cinci Hoca, or Master Exorcist. His reputation compares with that of Rasputin in Russia. A public bath (**Cinci Hamamı**) and a caravanserai (**Cinci Hanı**) in his native town carry his name.

Cinci Hoca made his career as a spiritual adviser and therapist to **Sultan İbrahim the Mad** (1640-48), who had spent his youth as a prisoner and had no contact with women before he came to the throne. Cinci was given the delicate job of persuading the poor sovereign to breed. He did so successfully. İbrahim turned into a woman-chaser of epic dimensions. He had to be kept happy with a daily supply of plump virgins; vezirs and viceroys became mobilised to procure the imperial harem. When they failed to do so, Cinci had the chief black eunuch of the harem promoted to prime minister. Ambergris was prescribed as a royal tonic: the ambergris consumption of the palace went so high that a special ambergris tax had to be levied to level the budget.

Cinci Hoca was killed by the janissaries when a military revolt overthrew his master. His cash wealth at the time of his death was computed at 1,920,000 ducats, or about seven tonnes of 23.5 carat gold. His real estate holdings were confiscated separately.

Yörük Köyü / *Yörük Village*

Safranbolu-Araç yolu 20. km'de sarı tabelalı yol ayrımı.
Signposted turn 20 km E of Safranbolu (dir. Araç).

Safranbolu'nun daha küçük ve hiç bozulmamış örneği. Bağlar-bahçeler içinde güzel bir kasaba. Safranbolu'nun aksine, çevresi de güzel: apartmanlarla çevrilmemiş.

"Köy"den çok şehir havası taşıyan, gösterişli büyük konakları var. 140 hanenin ancak üçte birinde insan oturuyor. Geri kalanı ya terkedilmiş, ya yazdan yaza geliyorlar. Organize turizm pek yok. Evleri göstermek konusunda çok aceleci değiller. Görmeye değer olanların başı **Kaymakçıoğlu Evi**. 1873 yapımı. **Sekbanzade Evi** de akılda kalanlardan.

Yörede sarı tabelalı 8-10 kadar köy var. Hiç biri bu ayarda değil.

Biraz doğudaki **Davutobası** köyü, Türkiye'de ciddi miktarda safran yetiştirilen tek yer. Soğangiller ailesinden bir bitki. Baharda çiçek açıyor. İplik biçimindeki erkek organları toplanıyor. Kilosu 400 dolar dolayında.

A smaller and little-known version of Safranbolu, Yörük offers some 140 beautiful Ottoman houses in their authentic and unrestored splendour. It was a substantial town, the centre of a judicial district, in the past; now it is reduced to a semi-deserted village in a beautiful setting of overgrown orchards and mulberry trees. Unlike Safranbolu the surroundings are pretty, too, with hardly a nasty apartment building in sight. Tourism is embryonic. Some houses can be toured, but the owners still seem to view it more as a nuisance than a money-spinner.

Yellow road signs mark some ten other historic villages in the area, though none are quite as good as Yörük.

Yörük Sofrası. Otantik ortamda Mübeccel hanımın gözlemeleri, baklavaları. Köy meydanı.

Yörük Sofrası, *owned by a charming urban lady and open erratically, is the only place to eat in the village.*

Kasaba

Kastamonu-Daday yolu 14. km'de levha; kavşaktan 3 km asfalt.

Signposted turn 14 km NW of Kastamonu (dir. Daday); 3 km paved road to village.

Kastamonu'nun alakasız bir köyünde, umulmadık bir şaheser: **Mahmut Bey Camii**. Miladi 1366'da bu tarafların beyi olan bir Mahmut Bey yaptırmış. İç konstrüksiyon tümüyle ahşap. Çatı işçiliğinin tamamı ile ahşap kolonların bir kısmı orijinal. Çivi kullanmadan, geçme sistemiyle yapılmış. Vaktiyle rengarenk boyalıymış, şimdi izleri kalmış.

Minareyi yakın yıllarda eklemişler. Oymalı kakmalı eski kapı 1997'de çalındı. Bir süre sonra bulundu. Şimdi Kastamonu Müzesinde.

Köy de güzel. Dereler, bostanlar arasında hayli hoş eski ahşap evler var.

*The wooden mosque of **Mahmut Bey** is an altogether unlikely masterpiece for this out-of-the way rural backwater. It was built in 1366 by an otherwise unknown Mahmut Bey. No nails were used in the construction. The impressively ribbed roof and several of the 12-metre tall pillars of carved timber appear to be original. They were once painted and gilded, as one can tell by the remaining traces of colour.*

A minaret was added recently. The beautifully carved mosque gates were stolen in 1997, then found and removed to the Kastamonu Museum.

The village itself is one of considerable charm.

Kastamonu

İl merkezi (37). Nüfus 59,000. İstanbul 507 km.

Capital of province (37). Pop: 59,000. İstanbul 507 km, Ankara 242 km.

Muhafazakar, içe dönük bir Anadolu kenti. Çarşı yöresi çok sayıda tarihi yapıyla içiçe. Bellibaşlıları **Atabey camii** (1273, Çobanoğlu beyliği), **İsmail Bey camii** (1454, Candaroğlu beyliği), **Nasrullah camii** (1503, Osmanlı), **Frenkşah Hamamı** (1262, Selçuklu) ile birkaç türbe, medrese, bedesten, han vb. **Karanlık Bedesten**'i ipçi ve halatçı esnafı mekan tutmuş.

Türkiye'nin galiba en güzel vilayet binasına sahip. Birinci Ulusal Mimari akımının öncülerinden mimar Vedat Tek'in eseri: 1910'lar. Bu konağın önünde Gazi 30 Ağustos 1925'te Şapka Devrimini ilan etmiş.

Kale yamacında Safranbolu'ya taş çıkartacak güzellikte eski konaklar var. Halk arasındaki adı "Ermeni mahallesi". Ya da "Muhacir mahallesi". Dökülüyor.

*Kastamonu is the epitome of a conservative Anatolian city: its bazaar district retains the spirit and the appearance of old times. The city centre is laced through with scores of minor historic monuments, mostly built in the Turkish Middle Ages when Kastamonu prospered as the seat of a succession of local dynasties. Important ones include the **Atabey Mosque** (1273, Çobanoğlu dynasty), the **Frenkşah Baths** (1262, Selçuk), **İsmail Bey Mosque** (1454, Candaroğlu Dynasty) and the **Nasrullah Mosque** (1503, Ottoman), beside a variety of türbes (mausolea), medreses (Islamic colleges), bedestens (market halls) and hans (merchant inns). The **Dark Bedesten** houses the workshops of the rope-makers and cloth-dyers.*

*The **House of Government** is an impressive building in the late-Ottoman historicist style. It was in front of this building that President Atatürk announced his epoch-making **Hat Revolution** on August 30, 1925.*

The old neighbourhoods below the Castle are full of attractive old mansions in various stages of decay.

En iyisi **Mütevelli Hotel** (2*). Tel: (0366) 212 2020. Tarihi belediye binası **Osmanlı Sarayı** adıyla otele dönüştürüldü. 1910'lardan kalma nefis bina. Tel: (0366) 214 8408.

Mütevelli Hotel (2) is the next best. Tel: (0366) 212 2020.*
Osmanlı Sarayı. *Ottoman palace in wonderful old building Tel: (0366) 214 8408.*

Candaroğlu Beyleri
Candaroğlu Dynasty

Selçuk devletinin çöküş devrinde ortaya çıkmışlar. Uzun süre Osmanlı'ya meydan okumuşlar. **İsfendiyar Beyin** 1402'de beyliği yeniden ihya edişinden sonra İsfendiyaroğlu adıyla anılmışlar.

Beyliğin zaptından sonra hanedan üyeleri Osmanlı hizmetinde mevki ve makam sahibi olmuş. En ünlüleri III. Murad'ın vezirlerinden **Şemsi Ahmed Paşa** (ö 1590). Padişahı rüşvete alıştırmak suretiyle imparatorluğun yıkımını hazırlayıp "ceddinin intikamını aldığı" söylenir. Üsküdar sahilindeki güzel camii Sinan'a yaptıran kişi.

The Lords of Candar ruled the former Byzantine province of Paphlagonia (modern Kastamonu and Sinop) from the collapse of the Selçuk kingdom in the 13th century until the consolidation of Ottoman rule in the 15th. Their descendants held important posts in the Ottoman state.

Şemseddin Yaman Candar	y 1291-1300
Şücaeddin Süleyman I	y 1300-1339
Gıyaseddin İbrahim I	1339-
Kötürüm Bayezid	1361-1385
Süleyman II	1385-1392 (Kastamonu)
İsfendiyar	1385-1439 (Sinop)
İbrahim II	1439-1443
İsmail	1443-1461

Ilgaz Dağı / *Ilgaz Mountain*

Milli Park yol ayrımı Kastamonu'dan 34 km. Kış Sporları Merkezi Ankara yolu üzerinde, Kastamonu'dan 40 km.

Signposted turn for the National Park in Aş. Tüfekçi, 34 km S of Kastamonu; ski centre off the highway 40 km S of Kastamonu.

Ana zirve 2587 metre. Antik adı **Olgassys**. Paflagonca veya daha eski bir adın Yunan diline uydurulmuş biçimi. MS 1. yüzyılda yazan Strabon'a göre dağın her tarafı Paflagonyalılara ait tapınaklarla doluymuş.

Kastamonu-Ankara karayolu üzerinde kayak tesisleri ve güzel bir dağ oteli var. Kastamonu'dan 40, Tosya yol ayrımından 25 km uzaklıkta.

Olgassys was the sacred mountain of the Paphlagonians, who inhabited the region in pre-Hellenic times. Strabo the Geographer reports that the mountain was full of Paphlagonian temples.

*A newly organised **national park** covers the forested slopes of the western mass of the mountain. The summit, at 2587 metres, lies east of the highway. It is possible to drive to within hiking distance of the summit by turning east on a poor forest road in the village of Çomar, south of the highway pass. There is a hotel and skiing facilities off the Ankara-Kastamonu road 40 km S of Kastamonu.*

Ilgaz Dağbaşı Hotel. Tel: (0366) 231 5633.

Ilgaz Dağbaşı Hotel. *Excellent. Tel: (0366) 231 5633.*

Boyabat

Kalesi görkemli. Bizans işi. Gökırmak havzası antik Paflagonya ülkesinin kalbi. Etrafta Pontus krallığı ve öncesine ait çok sayıda kaya mezarına rastlanıyor. En güzellerinden biri **Direklikaya**: Boyabat'ın 13 km batısında, Salar köyünde. Diğeri **Kalekapısı**: Taşköprü'nün birkaç km batısında, karayolundan 4 km kadar kuzeyde. MÖ 5.-4. yüzyıl.

Paflagonya'ya adını veren Paflagon halkının dili ve kökeni hakkında yeterli bilgi yok. Yazılı belge bırakmamışlar. İç Anadolu'daki Frig uygarlığından etkilenmişler. Olgassys (Ilgaz) dağını kutsal saymışlar. Pontos kralları devrinde (MÖ 3. yüzyıl sonrası) Yunan kültürünü benimseyip erimişler.

An impressive Byzantine fortress dominates the town.

The Gökırmak valley forms the core of the ancient country of **Paphlagonia**. *The Paphlagonians spoke an unknown language and were influenced by the Phrygian civilisation of inner Anatolia. They became Hellenised after the 3rd century BC. Their rock-carved tombs, mostly from the 5th and 4th centuries BC, form part of the valley's landscape. One of the finest is called* **Direklikaya** *("Rock-with-Pillars") and stands in Salar village 13 km west of Boyabat. Another one called* **Kalekapısı** *("Castlegate") is a short distance west of Taşköprü and 4 km north of the highway.*

Sinop

İl merkezi (57). Nüfus 28,000. İstanbul 700 km.

Capital of province (57). Pop: 28,000. Istanbul 700 km.

Etkileyici doğal konumuna ve zengin tarihine karşılık Sinop ilginç bir kent değil. Birkaç tarihi anıt, beton mahalleler arasına sıkışıp kalmış. Eskiden buradaki Amerikan NSA üssü sayesinde ufak tefek birtakım medeniyet belirtilerine (iyi bir-iki kafe, kitapçı, jogging parkuru...) kavuşmuştu. Şimdi üs kapandı; büsbütün taşralaştı.

İlginç olan tek eser **Alaeddin Camii**. 13. yüzyılda Selçuklular yapmış. İsfendiyaroğulları onarmış. Dışı sağır. İç mekanları etkileyici.

Karadeniz bölgesinin plaj kenti olarak belli bir turistik altyapısı var. Bellibaşlı iki plajdan **Karakum** (İç Liman) yarımada üzerinde, kentin 1-2 km doğusunda. **Akkum** (Dış Liman) kuzeybatıda, kilometrelerce uzanan anlamsız bir çöl. Akkum'un uzak ucunda **Hamsilos** (veya Amsaroz, hatta Hamsihoroz) koyu var: orman arazisiyle çevrili doğal bir girinti. Sinopluların gurur kaynağı.

Tarih

Sinope adıyla Karadeniz'deki ilk ve en önemli Yunan kolonisi olmuş. MÖ 650 dolaylarında Miletliler tarafından kurulduğu söylenirse de kökü herhalde daha eski. MÖ 1. yüzyılda **Pontos** krallarının, 13. yüzyılda Selçuklu'ya isyan eden Muinüddin Süleyman Pervane hanedanının, 14.-15. yüzyıllarda Osmanlılara kafa tutan **Candaroğlu** (diğer adı

Sinop is a disappointing city despite its splendid location and long history. Its historic monuments, though numerous, have been drowned in a sea of cement. The US communications base which formerly occupied the citadel is gone, and with it the few traces of modern urbanism – a pair of good cafes, a bookstore, a jogging lane – which once gave the city some life.

*The **Alaeddin Mosque** is a Selçuk work of the 13th century, though it was repaired beyond recognition by the subsequent masters of the city. The **Balat Church**, an early Byzantine building set among the ruins of an enormously large palace, is in a state of terminal dereliction – though it still keeps some patches of fine 17th century frescoes. The mighty **city walls** date from the reign of Mithridates the Great.*

*A popular beach called **Karakum** (Black Sands) is cradled in the harbour east of the city. The vast sandy expanse of the **Akkum** beach (White Sands) extends for miles in the northwest. The two beaches attract considerable local tourism in summer. A lagoon and bird sanctuary adjoins the less populous **Sarıkum** beach (Yellow Sands) near the northernmost point of Turkey.*

History

***Sinope** was the first and for a long time the most important Greek colony of the Pontic basin. The city was settled ca. 650 BC by colonists*

Sinop...

İsfendiyaroğlu) beyliğinin başkenti olmuş.

Sinop Baskını: 1853'te Rusların Sinop'ta demirleyen Osmanlı donanmasını Pearl Harbor'ı anımsatan bir baskınla topyekün imha etmesi Kırım Harbi adıyla tarihe geçen savaşı başlattı. İngiltere ve Fransa, Türkiye lehine savaşa girdiler. İki yıllık zorlu bir mücadele sonucu Rusları Kırım'da durdurmayı başardılar.

Tersane Çarşısındaki tarihi **Şehitler Çeşmesi** bu olayı anıyor.

Sinop Sürgünleri: 1913'te Mahmud Şevket Paşanın katlinden sonra bir terör rejimi kuran İttihat ve Terakki komitesi, siyasi muhaliflerinden 500 kadarını Sinop kalesine kapattı. Çoğu 1918'e dek orada kaldılar. Türkiye'nin modern tarihinde aydınlara yönelik ilk toplu siyasi baskı hareketi.

Dr. Rıza Nur: Milli Mücadele

from Miletus, though its origins probably went back to much earlier. From 183 BC it became the seat of the kings of Pontus. Under **Mithridates VI** *(110-63 BC) it briefly had the pretensions of an imperial capital.*

In 1214 Sinop became the first Turkish port of the Black Sea coast. Later in the 13th century it was ruled by various Selçukian and Mongolian governors who regularly declared independence upon arriving in the city and had to be dislodged by force. In the 15th century Sinop was the seat of **İsfendiyar Bey**, *one of the most formidable Turkish opponents of the early Ottoman state. His graceful mausoleum stands next to Alaeddin Mosque.*

In 1853 the Russians annihilated the Ottoman navy by a surprise attack on the harbour of Sinop. This started the **Crimean War**, *as France and Britain picked up the*

Sinoplu Diyojen
Diogenes of Sinope

MÖ 4. yüzyılda yaşamış. Babasının karıştığı siyasi bir dava nedeniyle Sinop'tan ayrılıp Atina'ya yerleşmişler. İyi bir felsefe eğitimi almış. Tüm maddi ve bedensel gereksinimlerden kendini arındırmaya dayalı bir düşünce sistemini savunmuş. Karşıtlarının deyimiyle "köpek gibi" yaşadığı için, müritlerine (Grekçe *kynos* = köpek sözcüğünden) kynik yani "köpekçi" adı verilmiş. Türkçede "sinik" şeklinde kullanılıyor.

Son yıllarını çıplak olarak bir fıçının içinde geçirdiği rivayet edilir. Büyük İskender kendisini ziyaret edip hatırını sorduğunda "Gölge etme başka ihsan istemem" deyişi ünlü.

Diogenes the Cynic *(ca. 390-323 BC) was born in Sinope but lived in Athens after his father's exile to that city. The tales told by his detractors – that he lived naked in a tub to show his contempt of material comforts, that he searched for "human beings" with the aid of a lamp, that he asked Alexander the Great to step out of his sun – were probably meant, in part, as comments on the Pontic temperament.*

dönemi siyasi önderlerinden Dr. Rıza Nur aslen Sinoplu. Kentin ana caddesine adını vermişler. Atatürk hakkında şiddetli itham ve iddialarla dolu olan anılarının Türkiye'de satışı yasak.

Dağlar

Sinop'un sırtındaki dağlar Türkiye'nin en muhteşem köknar ve karaçam ormanlarıyla kaplı. Tarihte "Ağaç Denizi" adıyla anılmış. Osmanlı donanmasının gemileri buranın ağacıyla yapılmış.

Dağdaki birkaç gölün en ünlüsü **Akgöl**. Boyabat-Ayancık yolu zirve noktasından sapan 6 km'lik toprak bir yoldan ulaşılıyor. Piknik yeri.

fight on behalf of the terminally wounded Ottoman Empire. The Turkish Pearl Harbour is remembered through various memorials in the city, notably a graceful Ottoman fountain near the harbour square.

The mountains

A splendid mantle of forest, mostly of fir and larch, covers the mountains south of Sinop. It once supplied the wood for the ships of the Ottoman navy.

Akgöl *("Whitelake") is one of several small forest lakes used by the locals for picnics and walks. It is reached by a poor road which branches off the highest point of the Ayancık-Boyabat route.*

Ağaç Denizi / Forests of fir

Yat limanındaki 4-5 sevimli balık lokantasının en ünlüsü **Saray Restaurant**. Tel:(0368) 261 1729.

Melia & Kasım Hotel. (2*) Sinop klasiği. Merkezde. Tel: (0368) 261 4210. **Villa Rose Motel.** İstanbul asıllı Bn. Zlatia Ogborne'un son derece kişisel küçük oteli. Ada yolu. Tel: (0368) 261 1923. Akkum ve Karakum plajlarında çok sayıda otel-motel var.

Saray Restaurant *is the best-known among several pleasant seafood restaurants in the Yacht Harbour. Tel: (0368) 261 1729.*

Melia & Kasım Hotel *(2*) has been a Sinop classic for many decades. Tel: (0368) 261 4210.* **Villa Rose Motel** *is run in a charming and personal way by Mrs Zlatia Ogborne, widow of a former US base director. Tel: (0368) 261 1923.*

Pontos Kralları/ Kings of Pontus

Krallığın kurucusu I. Mithridates Gemlik'li bir maceracı. Amasya'da krallık ilan etmiş. Kısmen İran kökenli olan yerel egemen zümre, İskender fetihlerini izleyen ortamda Yunan dilini ve üst kültürünü benimsemiş.

Mithridates adı Farsça. Mithra-verdi ya da Güneş-verdi demek. Yani Mihrdad.

Amasia (modern Amasya) was the first capital of the Pontic Kings. Pharnaces I moved the capital of his kingdom to Sinope, which he captured in 183 BC. After 63 BC, the dynasty continued to rule on the northern coast of the Black Sea until the Germanic invasions of the 3rd century AD.

	MÖ / BC	
I Mithridates		302-266
Ariobarzanes		266-256
II Mithridates		256-220
III Mithridates		220-185
I Pharnakes		185-159
IV Mithridates Philopator		159-150
V Mithridates Evergetes		150-120
VI Mithridates Eupator		120-63
II Pharnakes		63-47

Fındık hasadı / Gathering hazelnuts

Samsun

İl merkezi (55). Nüfus 338,000. İstanbul 735 km. Ankara 581 km.

Capital of province (55). Pop: 338,000. Istanbul 735 km, Ankara 581 km.

Tarihi karakterden yoksun bir şehir. Atatürk heykeli 1932'de Avusturyalı Heinrich Krippel tarafından yapılmış.

Antik adı **Amisos**. Rumcadan Türkçeye geçen yer isimlerinin çoğu gibi ismin -e halinde, "is'Amison" olarak benimsenmiş.

This busy port city has grown 40-fold in population over the last 80 years and shed all traces of historic or aesthetic value in the process.

May 19

*The arrival of Atatürk in Samsun on **May 19, 1919**, is generally viewed as the start of the Turkish National Resistance. Mustafa Kemal Pasha (as he was then called) was sent to Samsun by the Sultan with an extraordinary mission to reorganise the country after its collapse in World War I. He soon broke with the Istanbul government, and convened the Grand National Assembly in Ankara in April 1920. Victory over the invading Greek army was followed by the abolition of the sultanate in November 1922.*

*Various streets, buildings and institutions in the city commemorate the date of Atatürk's landing. A "May 19 kebab" is on offer at the restaurant of the Grand Hotel. The equestrian **monument** of Atatürk which stands in the harbour was made by Krippel in 1932.*

Körfez Restaurant. Meşhur Samsun pidesinin en alası. 10 km kadar batıda, sahilde. Tel: (0362) 457 5291. Büyük Samsun Oteli teras restoranı şık, "şehirli".

*Körfez Restaurant, on the seashore 10 km west of the city, is a good place to sample the famous Samsun pide, a type of Turkish pizza. Tel: (0362) 457 5291. The roof restaurant of the **Grand Samsun Hotel** offers classier style.*

Büyük Samsun Oteli. (4*) Eski Turban, özelleştirildi. Yazlık yüzme havuzu, gece kulübü var. Tel: (0362) 432 4999. **Vidinli Hotel**. (3*) Merkezi konum, standart konfor. Tel: (0362) 431 6050.

Grand Samsun Hotel (4) is the best thing about the city. Tel: (0362) 432 4999. **Vidinli Hotel** (3*) offers a reasonable alternative. Tel: (0362) 431 6050.*

Çarşamba Ovası / *Çarşamba Plain*

Samsun 10 - 60 km. / 10 - 60 km W of Samsun.

Yeşilırmak alüvyonlarından oluşan ova, kanallar ve bataklıklarla örülü kendine özgü bir dünya. Toprak verimli. Halkın önemli bir bölümü Balkan muhaciri.

Simenlik Gölü kefal ve yaban ördeği bakımından zengin. Deniz tarafında kilometrelerce uzanan ıssız kumsallar var.

The alluvial plain Çarşamba, formed by the delta of the Yeşilırmak (River Iris of Antiquity), is a fertile land of detached farms, woods, canals and lagoons which bears some resemblance to the Mississippi bayou country. The **Simenlik Lagoons** *to the northeast of the plain are rich in both fish and birdlife. A limitless stretch of sand, accessible in most parts by foot or boat only, lies on the outer edge of the lagoon.*

The Amazons, according to best Greek authorities, had their home in **Themiscyra** *by the river Thermodon, usually identified as a place near modern Terme.*

Amazonlar / Formidable Women

Antik çağ yazarlarının ortak görüşüne göre Amazonların asıl yurdu Thermodon ovasında **Themiskyra** kenti. Muhtemelen bugünkü Terme dolayları. Çarşamba'nın doğusu.

Savaşkan kadınlar olup, nesillerini sürdürme işlemi dışında yanlarına erkek yaklaştırmamaları ünlü. İyi ok atabilmek için ergenlik yaşında sağ memelerini kestikleri efsanesi, olasılıkla eski Yunanca *a-masos* ("memesiz") kelimesinden ses benzerliği yoluyla yakıştırma.

Kraliçe Penthesilea komutasında Troya savaşına katılmışlar. Kraliçe Alope komutasında Atina'yı basmışlar. Kraliçe Smyrna komutasında eski İzmir kentini kurmuşlar. Herodot'a göre Thermodon muharebesinde yenilgiye uğradıktan sonra teknelerle Karadeniz'i aşıp kuzeydeki İskit'lerle çarpışmışlar. Sonra yavaş yavaş genç İskit erkeklerine alışıp, onlarla beraber Don nehrinin öte yakasına yerleşmişler.

Güney Rusya'da bulunan MÖ 7.-5. yüzyıla ait çok sayıda silahlı kadın mezarı, Amazon efsanesinde bir gerçeklik payı olabileceğini düşündürüyor.

*The Amazons were a tribe of female warriors, who amputated a breast, reportedly, in order to shoot better. They lived in the neighbourhood of the **Gagarians**, who were allowed to visit them only during a certain period of the year. The resultant offspring was kept if a girl, but returned to the father if a boy. Hercules defeated the Amazons at Themiscyra, and Theseus defeated them in Athens. Achilles slew the Amazon queen Penthesilea on the battlefields of Troy, but fell in love with her a moment before her death.*

According to Herodotus the Amazons migrated to the northern coast of the Black Sea following one of their periodic defeats. The Scythians, who lived there, did not know what to make of them at first, but eventually managed to tame the wild women through sexual services. Happily married at last, the Amazons settled down with their menfolk "beyond the Tanais", ie. the river Don.

Amasya

İl merkezi (05). Nüfus 70,000. İstanbul 671 km, Samsun 130 km.
Capital of province (05). Pop: 70,000. Istanbul 671 km, Samsun 130 km.

Anadolu'nun en güzel kentlerinden biri. Yeşilırmak boyunda, dar bir boğazın içine kurulu. Sağ yakada, cumbalarını nehir üstüne uzatmış bir sıra eski konak göz okşuyor. Evlerin sırtı, Pontos krallarının kaya mezarları: MÖ 3.-2. yüzyıl. Daha yukarıda, baş döndürücü bir yükseklikte, Amasya kalesi. Nehir-merkezli kent yapısı Türkiye'de — Bayburt, Köyceğiz Dalyanı gibi bir-iki yer dışında — pek örneği olmayan bir özellik. Bazı Avrupa kentlerini anımsatıyor.

Amasya is easily the most attractive of all Anatolian cities. It lies in a gorge of the Yeşilırmak ("Green River"), hemmed in by great limestone cliffs which have constricted urban growth and pushed new development to the eastern outskirts of the city. The left bank of the river forms a narrow ledge on which a row of pretty Ottoman houses stand with their upper storeys jutting out over the river. Over them hang the monumental rock-hewn tombs of the Kings of Pontus. A citadel of Hellenistic-Byzantine-Ottoman lineage looks down upon the gorge from a height of several hundred metres.

Görülecek Yerler

Kale'den kentin manzarası muazzam. Samsun yolundan sapan stabilize yol tepeye kadar çıkıyor: 2 km. Temeller Pontos ve Roma, üstyapı Osmanlı. **Kaya Mezarları**'na ise aşağıdan yürüyerek çıkılıyor. Uzaktan

Sights

*The citadel (**Kale**) is worth the arduous 2-km drive on account of the stupendous views. The **Royal Tombs**, by contrast, look better from afar.*

görüntü güzel; yakından ilginç bir şey yok.

Kent içi çok sayıda Türk ve Osmanlı eseriyle süslü. En görkemlisi **II. Bayezid külliyesi**. Nehrin sol kıyısında, 1468 tarihli. En ilginçlerinden biri **Gökmedrese Camii** ile **Torumtay Türbesi**. Selçuk sultanlarından birinin kölesi olan Emir Şerafeddin Torumtay yaptırmış. 1266/78 tarihli. 1308 tarihli **Bimarhane**'nin kapı işlemeleri de görmeye değer. Moğol eseri. Bir de **Kapıağası Medresesi** (1488): sekizgen biçimli, çok değişik bir bina.

Eski konakların en güzellerinden biri olan **Hazeranlar Konağı** birkaç yıl önce devlet eliyle restore edildi. Dış görünüşü şık. İçi buram buram bürokrasi kokuyor.

A large number of Turkish monuments adorn the inner city. Most graceful of all are the **Mosque of Bayezid II** *and the associated complex of buildings, an Ottoman work (1468) in the early classical style. The* **Gökmedrese Mosque** *(1266) and the adjoining* **Türbe (Tomb) of Torumtay** *display the very different style of the Selçuk period. The* **Bimarhane**, *a psychiatric hospital built in 1308, stands out for the extraordinary intricacy of the carved decorations of its portal.*

One of the Ottoman mansions of the riverbank, the **Hazeranlar Residence**, *has been restored by the Ministry of Culture and is sometimes open to the public.*

Bahar Restoran (Ali Kaya'nın Yeri). Tavuk germeç, Tokat kebabı gibi yerel spesiyaliteleri ünlü. Tel: (0358) 218 1316. **Şehir Kulübü**. Nehir üstünde terası güzel. Tel: (0358) 218 1013.

Bahar Restaurant is famous for its local specialties. Tel: (0358) 218 1316. The City Club (Şehir Kulübü) has a lovely terrace on the river. Tel: (0358) 218 1013.

İlk Pansiyon. Restore edilmiş güzel konak. Sahibi Amasya'nın korunmasında aktif işler yapan bir genç mimar. Turizm Enformasyon karşısı. Tel: (0358) 218 1689. **Emin Efendi Pansiyon**. Cumbası nehir üstünde, çok hoş eski ev. Mütevazı. Tel: (0358) 212 0852. **Melis Otel**. Daha konforlu. Keyifli döşenmiş küçük bina. Torumtay türbesi yanı. Tel: (0358) 212 3650. Yıldızlı kategoride **Büyük Amasya Oteli**. (3*) Eski Turban. Tel: (0358) 218 4054.

İlk Pansiyon is a lovingly renovated historic house that also serves as headquarters for various urban renewal projects. Tel: (0358) 218 1689. Emin Efendi Pansiyon offers remarkably charming rooms in a creaky historic house on the riverbank. Tel: (0358) 212 0852. Melis Hotel, next to the Torumtay Tomb, is a colourfully decorated and friendly place. Tel: (0358) 212 3650. For more conventional hotel comforts try the Grand Amasya Hotel (3) Tel: (0358) 218 4054.*

Zile

Nüfus 41,000. Amasya 51 km. / Pop: 41,000. 51 km S of Amasya.

Kentin ilk görünüşünden umulmayacak kadar güzel eski mahalleleri var. Cumbalı bir örnek sıra evler yüz yıl önce bir depremden sonra inşa edilmiş.

Bağlar mıntıkasından giden eski Amasya-Zile yolu keyifli bir rota. Daha da güzeli **Kazova** içinden Tokat'a devam eden yol (Pazar-Mahperi Hanı yolu). Yemyeşil kavakistan.

Pontos kralı Mithridates Romalılara yenilip intihar ettikten 15 yıl sonra oğlu Pharnakes bu yörede yeniden problem çıkarmış. MÖ 47'de Julius Caesar tarafından Zela (Zile) ovasında hezimete uğratılmış. Sezar'ın ünlü sözü — *veni, vidi, vici* — "vız geldi" anlamında. Dönüş yolculuğu Sezar için daha zor olmuş: yolda korsanlara esir düşüp birkaç ay Ege denizindeki bir adada tutulmuş.

*A remarkably pretty road leads from Amasya to Zile across a well-cultivated garden country. It continues through the dense poplar groves of the **Kazova Plain** to reach Tokat (via Pazar).*

*Zile is ancient Zela, where **Julius Caesar** wrote his famous victory note – veni, vidi, vici – announcing the defeat of Pharnaces, a pretender to the throne of Mithridates of Pontus. The drabness of the town's outskirts belies a rather pleasant inner core. The uniform rowhouses here were built following an earthquake in the late 19th century.*

Tütün. / Tobacco.

Tokat

İl merkezi (60). Nüfus 100,000. İstanbul 785 km, Samsun 231 km.

Capital of province (60). Pop: 100,000. Istanbul 785 km, Samsun 231 km.

Tarihi mirasını henüz bütünüyle tüketmemiş Anadolu kentlerinden. Eski usul çarşı ve bedestenleri, çürüyüp gecekondulaşsa da ayakta durmakta direnen eski mahalleleri var. Merkez meydanındaki **Ali Paşa Hamamı** (1572) dış görünümüyle Türkiye'deki en güzel Osmanlı hamamlarından biri. Halen işler halde. **Gök Medrese** (1275) Sivas ve Erzurum'daki emsalleri kadar görkemli olmasa da atmosferi olan bir yapı: müze olarak kullanılıyor.

Çoğu ziyaretçi için en önemli durak **Taşhan**, diğer adıyla Voyvoda Hanı. Birkaç yıl önce tamirden geçip Antikacılar Çarşısına dönüştürüldü. İstanbul ve Ankara dışında galiba Türkiye'nin en büyük antika pazarı oldu. Yıkılıp yağmalanan Tokat evlerinin posası satılıyor. Fiyatlar ister istemez büyük kent yörüngesine girmiş. Yine de Çukurcuma/Horhor düzeyinde hiç değil.

İvazpaşa mahallesindeki **Acemşir Türbesi** baş ağrısı çekenler tarafından ziyaret ediliyor. Mezar başındaki şamdanın başa sürülmesi öneriliyor. Yapımı 1317. İlhanlı.

Tokat is another Anatolian city with some of its historic baggage still intact. Its back streets hide plenty of fine old residences that have seen better days than today. The markets are warren-like and lively, and they perpetuate a few of the old arts – such as the famous Tokat hand-printed scarves. An impressive Turkish bath complex, the Ali Paşa Hamamı (1578), dominates the main square.

A key destination for many visitors is the Taşhan ("Stone Inn", also called Voyvoda Hanı), a 17th century cloisters which now houses Turkey's largest antiques market outside of Istanbul. The detritus from the gutted and stripped old Tokat houses is on sale here. Prices are no longer as ludicrously low as they used to be, but they are still a far cry from the fashionable big city stores.

 Büyük Otel dışında şehirde doğru dürüst içkili lokanta yok. "Nezih aile ortamı" adı verilen janrın baş temsilcisi **Saray Restoran**. Tokat kebabı ünlü. İçki yok. Gaziosmanpaşa Bulv. Tel: (0356) 214 4501.

*This is deep Turkey: not one restaurant outside the **Büyük Otel** serves alcohol. **Saray Restoran** on Gaziosmanpaşa Bulvarı is matchless for provincial middle-class atmosphere. Tel: (0356) 214 4501.*

 Büyük Hotel (4*). Yöredeki tek dört yıldızlı otel. Tel: (0356) 228 1661. **Burcu Hotel** (2*). Kibar, temiz, işlevsel. Tel: (0356) 212 7570, 212 8494.

***Büyük Hotel** (4*) is comfortable and professionally managed. Tel: (0356) 228 1661. **Burcu Hotel** (2*) is perfectly adequate as well. Tel: (0356) 212 7570, 212 8494.*

Niksar

Nüfus 30,000. Tokat 54 km. / Pop: 30,000. 54 km NE of Tokat.

Eski **Neocaesaria**: Yeni Kayseri. 12. yüzyılda Danişmend Beyliğinin birkaç kolundan birine başkent olmuş. O devirden kalma iki-üç anıt var. **Ulucami** 1145 tarihli. Diyarbakır ve Siirt Ulucamilerinden sonra Anadolu'nun en eski Türk camii.

Niksarlı **Aziz Grigorios** 3. yüzyılda yaşamış. Mucizeci (Thaumaturgos) lakabıyla tanınıyor. Dağları yürütmek, kendi kendini ağaca dönüştürmek gibi mucizeleri var. Deprem afetinden koruduğuna inanılıyor.

Niksar-Ünye yolu 110 km. Manzaralı.

The name of the town is a corruption of **Neocaesaria**. *St Gregory the Thaumaturge (Wonder-worker), a 3rd century bishop of Neocaesaria, is invoked as a protector from earthquakes. His many miracles included converting himself into a tree and removing a badly placed mountain.*

Niksar served as the capital of a minor Turkish dynasty in the 12th century. Its **Grand Mosque**, *built in 1145 but renovated many times since, is one of the earliest Turkish mosques in the country.*

A spectacularly panoramic road leads from Niksar to Ünye (110 km) over a high mountain pass.

Hotel Dicle. Zorunluk halinde. Tel: (0356) 527 2602.

Hotel Dicle, *if necessary. Tel: (0356) 527 2602.*

Niksar'ın fidanları.
Niksar trio.

Ünye Kalesi / Fortress of Ünye

Ünye

Nüfus 52,000. Samsun 100 km. / Pop: 52,000. 100 km E of Samsun.

Yörede plajlarıyla ünlü. Doğu Karadeniz bölgesi burada başlıyor. Vaktiyle Trabzon imparatorluğunun sınırı da Ünye'de imiş. Osmanlı'nın Trabzon eyaleti de aynı sınırı korumuş.

Ünye Kalesi (Çaleoğlu Kalesi) kasabanın 7 km gerisinde, fındık ormanları içinde, görkemli konuma sahip bir yıkıntı. Girişinde Pontos krallığı dönemine ait (MÖ 3. ila 1. yüzyıl) bir kaya mezarı var. Sonradan Hıristiyan keşişlerce inziva makamı olarak kullanılmış.

Ünye'deki **Haznedaroğlu Konağı** vaktiyle Anadolu'nun en görkemli taşra saraylarındanmış. 1847 yılında Jules Laurens'ın yaptığı çizimler geçenlerde Yapı Kredi tarafından yayınlandı. Şimdi izi bile yok.

Ünye marks the limit of the Eastern Black Sea, a region of marked physical and cultural characteristics. As **Oinaion,** *it also formed the western limit of the mediaeval Empire of Trabzon. The town is locally famous for its beaches, which attract weekenders from the neighbouring cities.*

The **Fortress of Ünye** *(or Çaleoğlu) forms an impressive ruin set among hazelnut groves 7 km south of the town. A rock tomb near its entrance dates from the Pontic Kingdom (3ʳᵈ to 1ˢᵗ century BC). Later on it served as a Christian hermit's cell.*

Çamlık Motel & Restaurant. 1 km batıda, kayalık bir koya nazır güzel bir park içinde. Lokantası iyi; kazayağı turşusu ilginç. Motel minimal. Tel: (0452) 323 1085. **Kumsal Otel.** (2*). 5 km batıda. Daha konforlu. Tel: (0452) 323 1602.

Çamlık Motel & Restaurant *is set in a pleasant park by the sea 1 km west of the town. The restaurant is good, but rooms are spartan. Tel: (0452) 323 1085.* **Kumsal Otel** *(2*), more comfortable, 5 km west. Tel: (0452) 323 1602.*

Fatsa

Nüfus 54,000. Samsun 123 km. / Pop: 54,000. 123 km E of Samsun.

Nüfus çoğunluğu Alevi olan kasaba 1970'lerde bağımsız bir Marksisti belediye başkanı seçerek sesini duyurdu. 1980'deki ordu müdahalesini izleyen sıkıntılı günler hala belleklerde. Başkan tutuklu olduğu askeri hapishanede öldü.

Fatsa'nın eski adı **Bolaman**. 10 km doğudaki kale/konak da **Bolaman Kalesi** adıyla anılırmış. Zamanla kentin adı değişmiş, kalenin dibindeki ufak yerleşim Bolaman adını saklamış.

Bolaman'a adını veren **Polemon**, Denizli yakınındaki Laodikea kentinden zengin bir aristokrat iken MÖ 30 yılında Roma imparatoru Augustus tarafından Pontos kralı atandı. Kendisinden sonra karısı Pythodoris ve oğlu II. Polemon hüküm sürdüler.

Uniquely among Black Sea coastal towns, Fatsa has a majority of inhabitants belonging to the "heretical" Alevi sect of Islam. As a consequence, the town is politically on the left. It elected an independent Marxist mayor in 1979 and suffered tragic consequences as a result.

*The town was formerly called **Bolaman** – from Polemon, a Classical orator and Roman stooge who was appointed King of Pontus by Mark Antony and Augustus. The Fortress of Bolaman, set 10 km to the east of the town, still bears the name.*

Dolunay Motel. (1*) Deniz kıyısında sevimli, uygar bir yer. Minicik kumsal plajı var. Restoranı ünlü. 2 km batıda. Tel: (0452) 423 1528, 423 7000.
Yalçın Hotel. (3*) Kumru/Korgan yolu 1 km'de, dağlara nazır. Cesur, iddialı, güzel bir tesis. Tel: (0452) 423 6018.

Dolunay Motel (1) is an attractive, friendly place beside a private beach 2 km west. It has an excellent restaurant. Tel: (0452) 423 1528, 423 7000. Yalçın Hotel (3*), 1 km out on the Kumru/Korgan route, is also excellent. Tel: (0452) 423 6018.*

Yasun kilisesi / Cape Yasun

Bolaman

Fatsa 10 km. / 10 km E of Fatsa.

Bolaman Konağı Bizans veya Ceneviz işi kale üzerine 18. yüzyılda inşa edilmiş bir ahşap konut. 1974'ten beri sözde restore ediliyor, edilecek, edilebilir. İçinde şapel kalıntıları var. Bitişikteki güzel konak, eskiden bu tarafların beyi olan Haznedaroğlu ailesinin malı. Evin yarısını mirasçılardan biri restore etti. Öbür yarısı harabe. Em. Korgeneral Yusuf Haznedaroğlu'nun.

Yasun Burnu Bolaman'ın 12 km ilerisinde. Iason, eski mitolojide Altın Post'u ele geçirmek için Argo gemisiyle Karadeniz'e çıkan efsane kahramanlarının önderi. Antik çağda yarı-tanrı olarak saygı görmüş; onuruna bir tapınak inşa edilmiş. Şimdi yerinde metruk bir kilise var. 1980'lere dek kubbesi ayaktaydı. Olta zokası yapmak için kurşunlarını söktüler; yıkıldı.

*The picturesque **Castle of Bolaman** consists of a Byzantine/Genoese fortress topped by an 18th century Turkish seigneurial residence. The jut of land on which it stands (formerly an island) was the property of the formidable Haznedaroğlu dynasty of valley lords. One half of the attractive konak that adjoins the castle was recently restored by an heir, while the other half, owned by General (ret.) Yusuf Haznedaroğlu, remains derelict.*

*At **Cape Yasun**, 21 km further northeast, an abandoned Greek church stands alone facing the waves at the tip of a wind-swept headland. In Antiquity this was the site of a Temple of Jason, dedicated to the hero-leader of the expedition of the Argonauts.*

 Vonalı Celal'in Yeri. Şifalı otlar konusundaki uzmanlığı Karadeniz çapında ünlü. İlginç spesyaliteleri, çeşit çeşit turşuları var. Perşembe'ye yakın Çaka Tüneli çıkışında.

Vonalı Celal's Restaurant, *near the road tunnel before Perşembe, is an interesting institution with an expertise in unusual herbs and pickles.*

 Vona Hotel. (2*) Perşembe'de. (0452) 517 1755.

Vona Hotel *(2*) in Perşembe.* (0452) *517 1755.*

Ordu

İl merkezi (52). Nüfus 117,000. Samsun 176 km.
Capital of province (52). Pop. 117,000. 176 km E of Samsun.

Belde otelinin lobisinde gördüğümüz 1950'lere ait fotoğrafta Ordu rüya güzelliğinde bir şehir olarak gözüküyor. Tepe üzerinde anfi düzeninde dizili dünya güzeli konakların tümü deniz görürmüş. Elli yılda, beton yığınına çevirmişler.

Hala ayakta olan üç-beş güzel evden biri **Paşaoğlu Konağı.** Restore edip Etnografya Müzesi yaptılar: bina nefis, koleksiyon vasat. Kent girişindeki büyük **Rum kilisesi** bir müddet hapishane olarak kullanıldı. Yakın zamanda onarıldı. Henüz ne yapılacağı belli değil. Etrafında bir-iki eski konak restore edildi; biri otel oldu.

Ordu'nun atası olan antik Kotyora kentine ait izler şehrin 4 km doğusunda **Eskipazar** denilen yerde. Şehir 19. yüzyılda şimdiki yerine taşınmış. Burada Ermenice İsa anlamına gelen Asduadz **Orti kilisesi** varmış. Orti sonradan Ordu olmuş.

*A photograph from the 1950s shows Ordu as a delightful town of stately old houses ranged along the slopes of the Boztepe, each one of them commanding an equal view of the sea. Now about a dozen of these remain – and even that is a remarkable achievement by coastal Black Sea standards. One old mansion, the **Paşaoğlu Residence,** has been turned into a museum (lovely house, trite collection); another one is a hotel. The former **Greek Cathedral**, which was used for a time as the city prison, has been restored for eventual use as a cultural centre.*

*Traces of the ancient city of **Cotyora**, the predecessor of Ordu, can be seen at a place called **Eskipazar** ("Oldmarket"), 4 km east of the city.*

Günümüzde Ordu (bak. sayfa 22) / Ordu today (see p. 22)

Eski hapishane / Former prison

En ünlü lokanta **Ayışığı Restaurant**.
Sahilde. Sahibi Enis Ayar Ordu'nun
kayda değer kişiliklerinden. Her yıl
uluslararası Vosvos şenliği düzenliyor.
Yaylalarda Senfoni konserleri
verdiriyor. Tel: (0452) 233 2870. **Sarı
Konak** daha yeni. Boztepe yamacında
güzel eski konak. Yerel yemekler:
galdirik, melevcan, pancar diblesi,
pazı borani, gürcü fasulyası.

Hotel Balıktaşı. (3*) Şık modern tesis.
Plaj, sauna. Tel: (0452) 223 0611.
Belde Hotel. (3*) Deniz kıyısında güzel
konum. İçten, uygar personel.
Çambaşı Yaylasında Belde Hotele ait
güzel bir dağevi bulunuyor. Tel:
(0452) 214 3987. **Karlıbel İkizevler
Oteli** (S). Restore edilmiş konak. Tel:
(0452) 225 0081.

Ayışığı Restaurant, *on the seashore,
has been a famous local institution for
many years. It acts as the
headquarters of an annual
Volkswagen bug parade.* Tel: (0452)
233 2870. **Sarı Konak**, *newly opened
in a beautifully renovated old mansion
in the upper part of the city, offers
unusual local dishes.*

Hotel Balıktaşı *(3*) is an attractive
modern hotel with beach and sauna.
Tel: (0452) 223 0611.* **Belde Hotel** *(3*)
has a lovely seaside garden. They
also maintain a mountain lodge in the
Çambaşı yayla, 64 km S of Ordu. Tel:
(0452) 214 3987.* **Hotel Karlıbel** *(S)
occupies a restored historic house.
Tel: (0452) 225 0081.*

Giresun

İl merkezi (28). Nüfus 74,000. Samsun 230 km.
Capital of province (28). Pop: 74,000. Samsun 230 km.

Eski adı **Kerasos**, yani Boynuz. Kentin arkasındaki boynuz şeklinde tepeden geliyor olması muhtemel. Mithridates savaşları sırasında Romalı general Lucullus ilk kez burada gördüğü kiraz meyvesini Roma'ya göndermiş. Latince cerasus (İng. cherries, Fr. cerise, Alm. Kirsch, Türkçe kiraz) adı buradan geliyor.

Kente hakim bir tepenin üzerindeki **Giresun Kalesi** güzel bir park haline getirilmiş. Milli Mücadele yıllarının Abdullah Çatlı'sı Topal Osman Ağanın mezarı burada. Yaşam öyküsüne ilişkin anekdotları herhangi bir Giresunludan öğrenmek mümkün. 1923'te Mustafa Kemal Paşanın özel muhafız birliği komutanıyken fazla ileri gittiği için tasfiye etmek zorunda kalmışlar.

Kentin 3 km doğusundaki

*The ancient name of Giresun was **Kerasos**, possibly in reference to the horn-shaped mountain rising behind the city (Greek keras, "horn"). The Roman general and gourmet, Lucullus, reportedly had his first cherries here during the Mithridatic campaigns. The fruit was sent to Rome and dubbed cerasus; it evolved, via the French cerise, into English cherries.*

*The city is now more famous for its **hazelnuts**, which are grown in vast quantities along the stretch of the coast between Ünye and Trabzon.*

*The acropolis of the original Greek settlement, surrounded by the traces of a Byzantine citadel, hosts an attractive park. In it stands the monument of **Osman the Lame**, a local bandit who did patriotic duty during and after World War I.*

Giresun...

Giresun Adası üzerinde Bizans dönemine ait manastır harabesi var. Her yıl 20 Mayısta yöre halkı burada toplanarak sandallarla adayı tavaf ediyor, sahilden getirdikleri çakıl taşlarını adaya bırakıyor. Böylece dileklerin yerine geleceğine inanılıyor.

Üçbin yıl önce efsane kahramanı Iason da — eski adı Aretias Adası olan — Giresun Adasına uğrayarak doğu ucundaki kara taşta adak adamış. Ancak ada Amazonlarca kutsal olduğu için, kuşların saldırısına uğramış. Tüylerini ok gibi fırlatan binlerce kuştan güçlükle kaçıp canını kurtarmış.

Giresun Island, the only substantial island off the Black Sea coast, lies 3 km to the east. This is the Aretias Island of Antiquity, where a flock of birds throwing their feathers like murderous darts attacked the Argonauts as they tried to land to pay their respects to a certain sacred rock. A ruined Greek monastery that occupies the holy site is the goal of a popular pilgrimage, which still takes place on May 20th. Crowds of participants sail round the island in boats and deposit the pebbles which they have brought from the mainland.

20 Mayıs / May 20th

Çerkez Restoran. 3 km doğuda, adaya karşı. Yerel mezeleri var.

Çerkez Restaurant, 3 km E, opposite the island, has fish and local mezes.

Başar Hotel. (3*) Limanda. **Kit-Tur Hotel**. (3*) Tel: (0454) 212 0245. Çarıkçı Hotel. (2*) Tel: (0454)˙216 1026.

Başar Hotel (3) in the harbour. Kit-Tur Hotel (3*) Tel: (0454) 212 0245. Çarıkçı Hotel (2*) Tel: (0454) 216 1026.*

Giresun Yaylaları

Giresun'u Şebinkarahisar'a bağlayan iki ayrı yoldan biri Eğribel Geçidi üzerinden. Diğeri **Kümbet Yaylası** yolu. İkisi de az çok asfalt; yaklaşık eşit uzunlukta (100-110 km). Manzaralı yollar.

Dereli'nin biraz altından batıya sapan bir yol **Hisarköy**'e ulaşıyor. Köyün dışında derin orman içinde yükselen masa biçiminde bir kayanın üstünde manastır harabeleri var. Rum; tahminen 1915-20 yıllarında yıkılmış.

Eğribel yolundaki **Temdere** yaylasının et mangal tesisleri ve Cuma pazarı ünlü. Kümbet yaylası da yazın aşırı derecede popüler. Temmuzun 3. pazar günü şenlik yapılıyor.

Karagöl, Karataş zirvesinin (3100 m) altında, çıplak, manasız bir su birikintisi. Yazın etrafı kalabalık. Bulancak'tan **Bektaş Yaylası** yoluyla göle dolmuş işliyor. Ayrıca Tamdere yaylasına yol bağlantısı var.

Giresun Highlands

Two immensely panoramic roads, both more or less paved and equally long (100-110 km) connect Giresun with Şebinkarahisar.

*Both roads give access to a network of popular yaylas (summer settlements) located on the upper slopes of **Karataş Mountain** (3100 m). The **Kümbet** yayla holds festivities on the third weekend of July. The **Tamdere** yayla is famous for its Friday market. A popular lake located just below the summit is accessible from either Tamdere or **Bektaş**. Driveable (but wholly unmarked) roads connect all yaylas together, so it is possible, with luck, to go from the highlands to Ordu or to cross the mountain in the direction of Suşehri-Koyulhisar.*

*From Dereli, 27 km south of Giresun, a short trip to the village of **Hisarköy** reveals the ruins of a Greek monastery located on a flat-topped pillar of rock in forest.*

 Bektaş Yaylasında **Karagöl Hotel** (2*). 2100 metre. Nisbeten düzgün. Kayak merkezi kurma planları var. Tel: (0454) 314 1069. Kümbet'te de zorunluk halinde kalınabilecek dağ evleri varmış.

Karagöl Hotel *(2*), in Bektaş, offers unexpectedly good lodging at 2100 m altitude. Tel: (0454) 314 1069. Kümbet has some bungalows which will do in case of necessity.*

Şebinkarahisar

Nüfus 31,000. Giresun 110 km. / Pop: 31,000. 110 km S of Giresun.

Yaklaşık bin metre derinlikte bir vadiye hakim konumu olağanüstü. Kale sivri bir zirvenin üstünde, Türkiye'nin en dramatik görünümlü hisarlarından biri.

Mithridates savaşları sırasında Pompeius emektar lejyonerlerini buraya yerleştirerek kente **Colonia** statüsünü vermiş (MÖ 63). Tarih boyunca yakındaki şap madenleri nedeniyle önem taşımış. Şebin Karahisar veya Şablı Karahisar adı bu noktaya işaret ediyor.

1915'te kentin Ermeni ahalisi kaleye sığınarak haftalarca direndikten sonra yenilip "tedip" edilmişler. İki yıl sonra Rus ordusu çekilirken kente giren Ermeni birlikleri bu kez Müslüman ahaliyi kırmışlar. Kent meydanındaki anıt ikinci hadiseyi anıyor.

Possibly the most dramatic of all fortresses in Turkey soars on a spur of rock above the town, looking down upon a broad valley nearly 1000 metres deep. It was built in the reign of Justinian (6th century) and wrecked in the course of intercommunal fighting in 1915 and 1918.

The town itself was founded as a Roman **Colonia** *by Pompey, who settled some of his exhausted legions here during the last Mithridatic War (63 BC). It prospered through the ages on account of its alum mines (Şebinkarahisar means "Blackcastle of Alum"). It never fully recovered from an earthquake in 1939.*

Aziz Nesin ve Kemal Tahir gibi iki ünlü yazar aslen Şebinkarahisar'lı. Buna karşılık kentin günümüzdeki siyasi eğilimi ortanın bir hayli sağında.

Köyler

Köylerin çoğunda metruk Rum ve Ermeni kiliselerine rastlanıyor. En ilginçlerinden biri **Tamzara** köyünde. Harap. **Licesu** köyündeki sağlam. Samanlık olarak hizmet veriyor. 1884 tarihli.

"Meryemana" kaya manastırı Şebinkarahisar vadisinin karşı yamacında, Kayadibi köyü dışında, dağın vahşi bir kovuğuna kurulu. Sumela'yı anımsatan bir yapı. Mağara içine dört katlı, yaklaşık kırk odalı bina yapmışlar. Yazıt Aziz Filibos adına, Ermenice, 19. yüzyıl. Kilisenin kökeni daha eski; belki Bizans. Yarasalar ve define avcıları cirit atıyor.

Vicinity

Most villages of the vicinity hide derelict Greek or Armenian churches. Architecturally the most interesting is in the pretty village of **Tamzara**. *Another church, fairly well-preserved and doing good duty as hay-barn, can be found in* **Licesu** *village.*

The **rock monastery of St Philip** *is nestled in a natural cavern outside the village of Kayadibi on the opposite flank of the Şebinkarahisar valley. A complex of perhaps 40 rooms, apparently of 19th century origin, fits into the bat-infested cave, which requires some rock-climbing to reach. The church is older, perhaps Byzantine. Treasure-diggers have worked hard at the site, which now consists largely of rubble.*

Licesu kilisesi / Inside Licesu church.

Doğankent (Harşit)

Tirebolu 32 km. / 32 km SE of Tirebolu.

Harşit birkaç yıl önce ilçe oldu, adını Doğankent yaptılar. Kaç bin yıllık Harşit Çayı da Doğankent Çayı oldu.

Harşit'e bağlı **Kuşköy**'de insanlar dağdan dağa haberleşmek için ıslık dili kullanıyorlar. Kullandıkları dilin zengin bir kelime hazinesi ve gelişkin grameri olduğu söyleniyor. Yunanistan'daki birtakım emsalleriyle benzerliği dikkat çekmiş. Akademik incelemelere konu olmuş. 1916'da Ruslar Trabzon'u işgal edip Harşit ırmağı hattına kadar ilerleyince halk karşı taraftaki akrabalarıyla ıslıkla haberleşmeye devam etmiş.

Harşit vadisi yolu vahşi ve güzel bir rota. Kısa bir bölümü hariç asfalt. Tirebolu-Torul arası 90 km. Zigana yoluna makul bir alternatif.

The town of Harşit was renamed Doğankent ("Hawktown") a few years ago. It stands in the wild and beautiful valley of the Harşit River, which forms a reasonable alternative (in part unpaved) to the usual Maçka-Zigana route to the interior.

*The whistle language of the villagers of **Kuşköy** ("Birdville") near Doğankent has attracted academic interest. Employed to communicate across valleys and gullies, it is said to possess an extensive vocabulary and even the elements of a grammar. More interestingly, it seems to bear a resemblance to traditional whistling codes practised in some parts of rural Greece.*

Vakfıkebir

Nüfus 31,000. Samsun 305 km. / Pop: 31,000. Samsun 305 km.

Eski adı Fol. Tereyağı ve tekerlek boyunda ekmekleri ünlü. Pazartesi pazarı var.

Yukarı köylerin çoğu, özellikle **Şalpazarı** yöresinde, **Çepni** köyü. Bir çeşit Alevi Türkmen. Rum imparatorluğu zamanında buralara iskan edilmişler. Trabzon devletine paralı asker olarak hizmet vermişler. Karadeniz bölgesinde kökü inanılır bir şekilde Orta Asya'ya dayanan yegane unsur.

Vakfıkebir is famous throughout Turkey for its cheesy butter and wheel-sized loaves of bread. A colourful market is held on Mondays, where crowds of keşan-clad peasant women (see p. 30-33) make a memorable sight.

The cotton fabrics used for that traditional dress come mostly from the looms of **Şalpazarı** *("Shawlmarket"), a town 16 km inland. The villagers of the Şalpazarı area are mostly* **Çepni***, members of a community of ethnic Turkish tribes who settled here under the rule of the Greek emperors of Trabzon, and retain many cultural peculiarities.*

 Beşikdüzü'nde **Hotel Bestt**. Deniz kıyısında, görkemli, şık tesis. Tel: (0462) 871 3944.

Hotel Bestt *in Beşikdüzü, 4 km W of Vakfıkebir, a flashy big hotel by the seashore. Tel: (0462) 871 3944.*

Tonya

Vakfıkebir 21 km. / 21 km S of Vakfıkebir.

Silahşörleri ünlü. 1970'lerde kasaba halkının yarısı kan davası nedeniyle telef oldu. Nüfusun büyük kısmı Rumca konuşuyor. Pazarı Çarşamba günleri.

Tonya'da ve bütün Trabzon-Rize yöresinde giyilen kırmızı keşan ve çizgili dolaylık aslında buranın geleneksel kadın giysisi değil. 30-40 yıl önce moda olmuş. Asıl Tonya giysisi siyah, ipek kuşaklı. Müthiş gösterişli katmerli başlığı var. Tek tük yaşlı kadınlar hala giyiyor.

Kadırga yaylası 15 km kadar yukarıda, 2300 metre rakımda. Temmuz'un üçüncü cumartesi büyük şenliği var. Daha kestirme bir yolla Zigana geçidine bağlanıyor. Bir diğer yol Kürtün'e çıkıyor.

Tonya has a reputation as the Wild West of the East, an image buttressed by the epic blood feud which decimated several of the town's families and caused a large part of the population to emigrate in the '70s and '80s. "No Tonyalı ever dies a natural death" is the local wisdom. The number of tombstones in the town cemetery carrying a pistol sign seems to support that thesis.

An outsider will find in Tonya a remarkably warm, proud and friendly people who speak the Pontic dialect of Greek among themselves. Of the famous Tonyan skill in making handguns no one will have ever heard about, although an unusual number of hoe and shovel manufacturers exist in the villages of the district.

*The most famous of all Black Sea highland festivals is held on the third weekend of July in the **Kadırga** yayla, about 15 km above Tonya.*

Akçaabat

Nüfus 36,000. Samsun 340 km; Trabzon 12 km.
Pop: 36,000. 340 km E of Samsun; 12 km W of Trabzon.

Ortamahalle kesiminde eski Karadeniz evlerinin güzel birkaç örneği hala ayakta duruyor. Bir de eski Rum kilisesi var. Halen özel mülkiyette. İçini ev yapıp yakın zamana kadar oturmuşlar.

Kentin eski adı **Platana**, yani Çınar. Antik çağdan beri hürmet gören kutsal çınar korusu varmış. Kesip yerine apartman yapmışlar.

Akçaabat'tan Düzköy yoluyla (34 km asfalt + 10 km toprak yol) **Hıdırnebi** yaylasına çıkılıyor. Trabzon'a kadar eşsiz bir panoramaya kuşbakışı hakim, güzel bir yer. Ahşap mimarisini kısmen korumuş. 15 Temmuz'da şenliği var. Kadırga yaylası ve Zigana'ya yol devam ediyor.

*Behind its chaotic façade Akçaabat (formerly called **Platana**) preserves a fair number of traditional-style townhouses. The most attractive of these are grouped in the **Ortamahalle** district, the middle one of the three ridges that form the town. Also here is a church dedicated to the Archangel Michael, dated 1332 AD, which was used as a private residence until a few years ago and now lies abandoned in the back of someone's garden.*

*A magnificently panoramic road continues up from Akçaabat, via Düzköy, to the **Hıdırnebi** yayla where the annual festivities are held on July 15.*

 Nihat Usta. Meşhur Akçaabat köftecisi. Tel: (0462) 228 2050.

Nihat Usta *is the home of the famous Akçaabat köfte (spicy meatballs). Tel: (0462) 228 2050.*

2. Trabzon ve Doğusu

Gerek doğal güzellik gerek tarih açısından Karadeniz'in en zengin bölgesi Trabzon'un doğusu.

Trabzon bölgesel metropol. Ayrıca her türlü gezi güzergahı için doğal üs. Havaalanı ve rent-a-car acentaları burada. Bölgenin en donanımlı oto sanayi sitesi de burada (Türkiye'nin en feci dağ yollarına otomobille girecek olanlar için önemli). Tarihi karakterini büsbütün yitirmemiş bir kent. Birkaç gün kalınca sevilebilir.

Meraklısı için, Sumela-Zigana yaylaları üç-dört gün oyalanmaya değer. Öbür olasılık bir günde Sumela ile Ayasofya'yı görüp doğuya devam etmek. Hemşin ve Artvin'e ikişer-üçer günden az zaman ayırmak yanlış.

Nerede kalınır: Karadeniz'in tek beş yıldızlı oteli Trabzon'da. Maçka, Rize ve Hopa'da da konforlu modern oteller (4* ve 3*) var. Doğaya dönük güzel pansiyonlar Maçka-Sumela, Uzungöl ve Hemşin'de. Ayrıca Zigana ve Sultanmurat yaylalarında düzgün konaklama imkanları bulunuyor.

2. Trabzon and East

East of Trabzon is deepest Black Sea country. The mountains get higher, the climate wetter, the music wilder, and the hamsi more abundant as one travels further east. Accents, too, are thicker here, and the idiosyncrasies of each valley are more pronounced. The markets are lively and fewer women have adapted their dress to western fashions.

Trabzon *is the regional metropolis and the natural base for all excursions. It has the airport, the car rental agencies and the best-equipped oto sanayi sitesi – an essential address for a region that boasts the most outrageous mountain roads of all Turkey. It is a city of considerable charm, which tends to grow on one after a few days of strolling around the Meydan and the Uzun Sokak.*

For the inquisitive traveller, Sumela and the Zigana highlands are easily worth three or four days. Otherwise one could devote a day to Sumela and the Ayasofya and move on east. Two or three days each is the minimum recommended for the Hemşin valleys and Artvin province.

Accommodation overview: *Comfortable modern hotels (3 or 4 stars) exist in Trabzon, Maçka, Rize and Hopa. Good clean pansiyons set closer to nature are to be found in the Maçka-Sumela area, near the Zigana Pass, at Uzungöl and in Çamlıhemşin-Ayder.*

Karşı sayfa: **Sumela** / Sumela Monastery, opposite

Trabzon

İl merkezi (61). Nüfus 182,000. Samsun 350 km, İstanbul 1085 km.

Capital of province (61). Pop: 182,000. 350 km E of Samsun; 1085 km E of Istanbul.

Antik adı Trapezos, yani Masa. Eski kent denize doğru uzanan masa şeklinde dar uzun bir tepe üzerinde kurulu. MÖ 8. yüzyılda Sinop'un kolonisi olarak kurulmuş. 1204'ten 1461'e dek bağımsız bir Rum imparatorluğunun başkenti olarak zenginlik ve şaşaa dönemi yaşamış. 16. yüzyıl başında şehzade Selim'in Trabzon valiliği yıllarına dek metropol niteliğini korumuş. Karadeniz'in en işlek limanı olma özelliğini Cumhuriyet döneminde Samsun'a kaptırmış.

Eski kent Komnenos'lar döneminde yapılmış olan surlarını kısmen koruyor. Aşağıhisar, Ortahisar ve İçkale'den oluşan surların iki yanında derin birer vadi Eski Trabzon'u ı kentin geri kalan kısmından ayırıyor. Modern merkez **Meydan**, ı km doğuda.

The city of **Trapezus** was settled by colonisers from Sinope in the 7th century BC. It saw a time of great splendour as the seat of a breakaway Byzantine court between 1204-1461. In Ottoman times it was the chief city of the Black Sea coast and the capital of an (at times quite autonomous) pashalik. In the 20th century it lost its leading position to Samsun, a rival port with better connections to the interior of the country.

The heart of the modern city is simply called the Square (**Meydan**). Two parallel streets – cobblestoned Long Street (**Uzun Sokak**) and the wider **Maraş Avenue** – join the Square to the bazaar district which spreads below the **Old City**. The latter occupies a narrow table-shaped hill, the eponymous Trapeze, which is cut off by ravines on either side. Mediaeval walls divide it into three sections, named Lowcastle (Aşağıhisar), Midcastle (Ortahisar) and the Citadel (İçkale).

Ayasofya / Hagia Sophia

Ayasofya iç mekan / Hagia Sophia interior

Aşağıhisar ile Meydan arası Çarşı: son derece canlı. Alışverişin can damarını Rusya'dan ve Kafkas ülkelerinden gelenler oluşturuyor. Dükkan yazıları Türkçe-Rusça-Gürcüce üç dilde. Kapalı Rus Pazarı liman yakınında.

Görülecek yerler: Özellikle görmeye değer yerler Ayasofya, Atatürk Köşkü ve — meraklısı için — Kaymaklı Manastırı.

Ayasofya

Merkezden 3 km batıda, sahile yakın. Türkiye'deki en görkemli Bizans eserlerinden biri. Trabzon imparatoru I. Manuel (1238-1263) tarafından yaptırılmış. 1577'de cami olmuş. Bir süre kolera hastanesi olarak kullanılmış. Şimdi müze. 1955-64 yıllarında David Talbot Rice ve David Winfield yönetiminde onarıldı. 13. yüzyıla ait harikulade duvar resimleri ortaya çıkarıldı. Geç dönem Bizans sanatının en önemli

The opening of the ex-Soviet border has brought great commercial vitality to the city. The shops now carry trilingual signs in Turkish, Russian and Georgian. A covered **Russian Bazaar** *operates near the harbour, selling vast amounts of junk and the occasional brilliant bargain.*

Sights: *The top sights of Trabzon are the Hagia Sophia, the Atatürk Mansion, and – less obviously – the Kaymaklı Monastery. None is within walking distance to the Square.*

Hagia Sophia (Ayasofya)

The imperial church of Trabzon was named, like its namesake in Istanbul, for the Holy Wisdom of Christ. It was built under emperor **Manuel I** *(1238-1263) of Trabzon, converted into a mosque after the Turkish conquest, and abandoned at some point in the 19th century. The restoration carried out in the 1960s under the*

Trabzon...

yapıtlarından. Toplam 55 sahne.

Ayia Sofia "Kutsal Bilgelik" demek: Hz. İsa'nın sıfatlarından biri. İstanbul'daki imparatorluk kilisesine atfen adlandırmışlar. Mimaride Gürcü etkisi belirgin.

Dörtköşe çan kulesi sonradan ekleme, Venedik tarzında, 1443 tarihli. İçi geç döneme ait daha düşük kalitede fresklerle kaplı.

Atatürk Köşkü

Soğuksu Tepesinde (merkezden 8 km). Art Nouveau tarzında son derece zarif konak 1903'te kentin ileri gelenlerinden Konstantin Kapayanidis için yapılmış. 1937'de Trabzon halkı tarafından Atatürk'e hediye edilmiş. Müzede sergilenenler arasında Atatürk'ün el yazısıyla 1937 Tunceli harekatına ilişkin kroki ve notları ilgi çekici.

Çevrede Trabzon'lu kalburüstü ailelerin yazlık evleri var. Kentin henüz karakterini tümüyle yitirmemiş bir bölgesi.

auspices of the Byzantine Institute at Dumbarton Oaks, DC, has revealed a spectacular series of 13th century *frescoes* – 55 Biblical scenes in all – under 400 years' worth of whitewash and grime. They form one of the world's foremost collections of late Byzantine art.

The architecture of the church shows Georgian influence. A detached *campanile*, in Italian style, was added in 1443. It is painted inside with frescoes of inferior quality.

Converted into a museum, the Hagia Sophia stands on a bluff near the sea 3 km west of the city centre.

Atatürk Mansion

The elegant art nouveau *residence was built in 1903 for* **Constantine Kapagiannidis**, *a prominent Greek who was mentioned as a possible president for the would-be Pontic Republic. Another republic carried the day, and the house became the property of Atatürk, who received it*

Ayasofya'da Bizans freskleri. / 13th century frescoes in the Hagia Sophia

Atatürk Köşkü / Atatürk Mansion

Kaymaklı Manastırı

Trabzon yerlilerinin dahi çok az
bildiği bir inci. Boztepe'nin
doğusunda, Değirmendere
vadisine bakan yüksek bir
platform üzerinde. Eskiden
kentteki tek Ermeni manastırı
imiş. Halen özel mülk. 1424
tarihli kilise samanlık ve alet
deposu olarak kullanılıyor;
onarılmazsa üç-beş yıl içinde
yıkılacak. İç duvarlar tepeden
tırnağa 17. yüzyıla ait orijinal
fresklerle kaplı: yüzleri silmişler,
gerisine dokunmamışlar.
Manastır binaları Kantekin
ailesinin ahırı.

Kestirme yol, Maçka yolunda
İpekyolu İş Merkezi karşısındaki
dar aralıktan dimdik yukarı 1
km. Normal ulaşım, kent
merkezinden Boztepe-
Çukurçayır Belediyesi-Mısırlı
mezarlığı yoluyla 5 km.

*as a gift during his visit to the city in
1937. The on-site museum displays
a good collection of period furniture
and some interesting mementoes of
the Turkish president.*

The mansion is on **Soğuksu Hill,** *a
wealthy summer suburb 8 km
southwest of the city centre.*

Kaymaklı Monastery

*The former Armenian monastery of
the Saviour, now part of a privately
owned farm, remains undocumented
in most publications about Trabzon,
and unfamiliar to many residents of
the city. It hides in a semi-rural
neighbourhood high above the
Erzurum road, 5 km southeast of the
city centre.*

*The atmosphere of the monastery is
undisturbed by either tourism or
official sanctimoniousness. The hay-
barn stands in a closed courtyard full*

Trabzon...

Kaymaklı Manastırı / Kaymaklı Monastery

Diğer tarihi eserler

Fatih *(Ortahisar)* **Camii** eski Hrisokefalos (Altınbaş) kilisesi. 10. yüzyılda yapılmış, 1210'larda kubbe eklenmiş. Rivayete göre kubbenin üstü tabaka altınla kaplanmış. Trabzon imparatorları burada taç giyer ve burada gömülürmüş. Fetihten sonra camiye çevrilmiş. İçerideki antik sütunlar son yıllarda fıstık yeşiline boyandı.

Gülbahar *(Büyük İmaret)* **Camii** 1505 tarihli. Güzel bir Osmanlı eseri. Yavuz Sultan Selim'in annesi olan Gülbahar Hatun bir rivayete göre son Trabzon imparatoru David'in kızı veya yeğeni imiş. Şehzade olan oğlunun Trabzon valiliği esnasında kente çok yararı dokunmuş. Fakirleri, öksüzleri gözetmiş. Türbesi burada.

1222 tarihli Aziz Eugenios Kilisesi şimdi **Yeni Cuma Camii**. İç Kaleye karşı, ulaşımı güç bir

of farm sights and smells; it was built in 1424 as a church, and is covered completely with 17th century frescoes of great sophistication. Members of the Kantekin family will gladly shift the bales of hay to display these to the – very rare – visitor. A second church, without frescoes, houses the cows. The buildings, however, are in precarious condition and unlikely to survive another decade.

The normal route to Kaymaklı goes via Boztepe-Çukurçayır-Mısırlı Cemetery; alternatively, you can make an extremely steep 1 km climb opposite the İpekyolu Business Centre on the Erzurum road.

Other Sights

Several Byzantine churches continue to serve as mosques. Best-known among them is **Fatih Mosque** *in the Ortahisar section of the Old City, the 10th century cathedral of Panagia*

Yeni Cuma Camii
Church of St Eugenios

Chrysocephalos ("Gold-Headed Virgin"). **Yeni Cuma Mosque**, .formerly the church of St Eugenios (1222), hides in a hard-to-reach neighbourhood below the Citadel. The finest Turkish monument as such is the **Mosque and Tomb of Gülbahar Hatun** (1505), commemorating the mother of Selim I, whose long tenure as governor of Trabzon has left marks throughout the region. The massive monastery of **Panagia Theoskepastos** (14th/19th century) remains as a weed-infested ruin.

mahallede. Boztepe'deki **Kızlar Manastırı** *(Panayia Theoskepastos kilisesi)* harap. Kökü 14. yüzyıl. Kapısı kilitli.

Çarşı içindeki Bedesten Cenevizlilerden. Metruk, yarı yıkık. **Taş Han** Osmanlı eseri. Bakırcı, kalaycı ve süpürgeci esnafını barındırıyor. Soğan-patates depoları da burada.

The **Bazaar** has an especially lively gold and jewellery section. Unusual buys include bracelets of finely woven threads of gold, a traditional Trabzon handicraft.

The East end of the bazaar district, a steep area of narrow lanes lying between the Square and the harbour, has grown into the regional centre of the natasha

Kızlar Manastırı / Monastery of Panagia Theoskepastos

Trabzon...

İskenderpaşa Mahallesi

Trabzon limanı ile Meydan arasında kalan İskenderpaşa mahallesi Nataşa sektörünün bölgesel merkezi. Ara sokaklardaki sayısız "patiseri" ve "Ruski restoran" akşama doğru Gürcistan'ın dişi nüfusunun büyükçe bir bölümünün uğrak yeri. Pazarlıksız fiyat 100 USD.

trade. The many "patisseries" and "Russki restaurants" become crowded late in the day with an extraordinary number women from the neighbouring countries, who work in Turkey on an ad hoc basis.

 Son yıllarda Trabzon'a özgün damak tadı ya da şık bir ambians getirme iddiasıyla açılan lokantaların hiç biri tutmadı. Yine en iyisi, Meydan'ı çevreleyen esnaf lokantaları. Bizim tercihimiz **Meydan Restaurant**. Hamsili pilav, hamsili krep, hamsili vb. bulunuyor. Daha önemlisi: bira veriyorlar! Tel: (0462) 321 0203.

*Recent attempts to bring culinary sophistication to Trabzon have all come to grief. The best option is still the dozens of lovely lokantas which crowd the Square. **Meydan Restaurant** is one that serves beer. Tel: (0462) 321 0203.*

 Kayda değer otellerin hepsi Meydan civarında. **Grand Hotel Zorlu** (4*) Tüm Karadeniz'in açık farkla en şık oteli. 1998'de açıldı. Tel: (0462) 326 8400. **Hotel Usta**. (3*) Yılların eskitemediği işletme. Tel: (0462) 326 5700. **Horon Hotel**. (1*) Tek yıldızdan beklenmeyecek kadar düzgün. Tel: (0462) 326 6455. Öteki otellerin çoğu Nataşa işletmesi.

*All noteworthy hotels are near the Square. **Grand Hotel Zorlu** (4*), opened in 1998, is easily the finest of all hotels in the Black Sea region. Tel: (0462) 326 8400. **Hotel Usta** (3*) remains an old favourite, though slightly frayed at the edges. Tel: (0462) 326 5700. **Horon Hotel** (1*) is better than its single star would suggest. Tel: (0462) 326 6455. Most other hotels serve a mainly ex-Soviet clientele.*

Trabzon İmparatorları
Emperors of Trebizond

1204'te Haçlılar İstanbul'u zaptedince eski imparatorlardan Andronikos'un (hd 1182-85) torunu Aleksios Komnenos, bir parti saray adamıyla birlikte Trabzon'a sığınmış. Teyzesi olan Gürcistan kraliçesi Tamara'nın desteğiyle kendini Öz Hakiki Bizans İmparatoru ilan etmiş. 57 yıl sonra İstanbul yeniden Rumların eline geçtiğinde de ardılları imparatorluk iddiasından vazgeçmemişler. Komnenos soyundan prenseslerin güzelliği dillere destan olmuş.

The emperors-in-exile of Trabzon maintained the fiction of being the true and rightful sovereigns of Eastern Rome for 257 years. For much of that period they were vassals and tributaries of various Turkish, Mongolian and Georgian overlords.

I Aleksios	1204-1222
I Andronikos	1222-1235
I Ioannes	1235-1238
I Manuel	1238-1263
II Andronikos	1263-1266
Georgios	1266-1280
II Ioannes	1280-1297
Theodora	1285
II Aleksios	1297-1330
III Andronikos	1330-1332
II Manuel	1332
Basilios	1332-1340
Irene	1340-1341
Anna	1341-1342
III Ioannes	1342-1344
Mikael	1344-1349
III Aleksios	1349-1390
III Manuei	1390-1417
IV Aleksios	1417-1446
IV Ioannes	1446-1458
David	1458-1461

Sumela Manastırı/ *Monastery*

Trabzon 43 km. Maçka'dan 16 km asfalt.

43 km SE of Trabzon; 16 km (paved) from Maçka.

Her iki anlamda nefes kesici bir eser. Meryemana vadisine hakim 500-600 metrelik düz bir kaya cephesinin ortasına inşa edilmiş. Yedi kat yükseklikteki manastır binalarının arkasında kutsal mağara kilisesi var.

Tarih

Kökeni efsaneler çağına dayanıyor. 386 yılında Sophronios ve Barnabas isimli iki keşiş bizzat İsa'nın öğrencilerinden Aziz Lukas'ın resmettiği kutsal Meryem tasvirini meğer bu mağarada bulmuşlar. Belki de tesadüf: antik döneme ait bütün kutsal makamların kilise ve manastıra çevrildiği yıllara denk geliyor.

Trabzon imparatorluğu döneminde manastır bugünkü şaşaalı yapısına kavuşmuş. Yöredeki köy ve arazilerin birçoğu Sumela'ya vakfedilmiş. Dağ halkına medeniyet

Perched improbably on a cliff that rises 500 metres from a forest valley, the deserted monastery of Sumela forms a breathtaking sight. Not less breathtaking is the 45-minute climb on foot, which is rewarded with an impressive collection of (vandalised, but still vivid) liturgical frescoes covering the interior of the monastery.

History

*The core of the compound is a cave church built beside a holy spring in a natural hollow. Here, in 386 AD, the monks **Sophronius** and **Barnabas** discovered an icon of Virgin Mary reportedly painted by St Luke himself. The monastery was already thriving by Justinian's reign (6th century), though it acquired its current size in the 14th century. Several of the emperors-in-exile of Trabzon were crowned here. It continued to flourish under Turkish rule, protected by a*

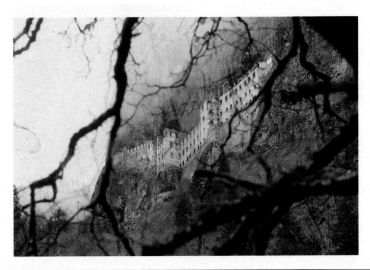

Sumela...

götürmüşler; ayrıca Zigana üzerinden gelebilecek tehlikelere karşı bir erken uyarı sistemi oluşturmuşlar.

Osmanlı döneminde de hürmet görmeye devam etmiş. Paşalar, padişahlar ziyaret edip değerli hediyeler vermişler. 1910'larda yüzü aşkın keşiş yaşarmış. Siyah-beyaz fotoğrafları var.

1923'te terkedilmiş. Sekiz yıl sonra bir papaz tebdili kıyafet gelip kutsal Meryem ikonunu saklandığı yerden götürmüş. Şimdi Kuzey Yunanistan'da Veria yakınında 1952'de inşa edilen Yeni Sumela manastırında. 14. yüzyıldan kalan değerli ikonların biri Dublin'de, birkaçı Oxford'da. Kalanları soğuk kış günlerinde Maçkalı çobanları ısıtmış. 1970'lere dek resmi makamların az çok bilinçli teşvikiyle yıkıp bozmak için ellerinden geleni yapmışlar. Şimdi restore ediliyor.

Mağara kilisesinin içi katmer katmer fresk kaplı. En eski ve en

century); it maintained more than a hundred monks and an active guesthouse in the age of early black-and-white photography.

*Abandoned in 1923, the monastery was already in ruins eight years later, when a monk returned in disguise to remove the holy icon from its hiding place. It is now in the monastery of **New Sumelas** near Veria in Northern Greece. The remaining icons were scattered widely: some ended up in Dublin or Oxford; others, no doubt, helped keep the shepherds of Maçka warmed on winter days. A fire gutted the buildings; treasure hunters dug up the floors; graffiti artists went to work on the walls. Protection of sorts was at last established in the 1970s. A major restoration is now in progress.*

*The **frescoes**, which cover the cave church inside and outside as well as some of the natural rock and the walls of a smaller chapel, come in four layers dated 14th (or 16th)*

Sumela...

güzel tabaka 14. yüzyıla ait.
Aradaki iki tabaka 1710 ve 1740
yıllarına tarihleniyor. 1860'larda
boyanan son tabaka banal.

Ulaşım

Otobüslerin durduğu yerden
manastıra 45 dakikada
tırmanılıyor. Arabayla 2 km
devam edip daha kısa ve yatay
bir yoldan ulaşmak mümkün.
Toprak yol 10 km kadar ileride
yaylaya çıkıyor. Ötesi ayrı bir
dünya. Gümüşhane'ye, Zigana'ya,
Torul'a, Arsin-Araklı'ya yol
bağlantısı var.

century, early and mid 18th
century, and 1860. Earlier layers
are, as usual, the best.

The route

The environment is as enchanting
as the monastery itself. The paved
road follows a wild brook to the
base of the cliff. From there, an
unpaved drive climbs sharply into
wilder and wetter forest, to emerge
10 km later into a vast and treeless
yayla. It is possible to drive on the
yayla to the Zigana Pass, Torul,
Santa, or the Gümüşhane region.

Maçka'da birkaç otel var. **Hotel Büyük
Sumela** Maçka'nın tek beş yıldızlı
oteli. Yıldızları kendileri vermişler ama
olsun. Jakuzzili kral dairesi dahi var.
Tel: (0462) 512 3540. Sumela yolu 6.
km'de **Coşandere Tesisleri/Serander
Pansiyon** mütevazı, sevimli bir yer.
Dünya güzeli ahşap serenderlerde
yatılıyor. Alabalık- mangal lokantası
var. Tel: (0462) 531 1190. Sumela yolu
12. km'de **Kayalar Pansiyon**. Vahşi
ormanın kıyısında, uygar, kentli bir aile
işletmesi. Tel: (0462) 531 1057.

*Maçka has several good hotels,
including the **Grand Hotel Sumela**,
which boasts five stars (self-awarded),
and a royal suite with whirlpool bath.
Tel: (0462) 512 3540. **Coşandere
Tesisleri/Serander Pansiyon** at km. 6
of the Sumela road offers basic rooms
set in beautiful log storehouses typical
of the region. Tel: (0462) 531 1190.
Kayalar Pansiyon, at km. 12, is a
pleasant and civilised place set on the
edge of wild forest. Tel: (0462) 531
1057.*

Kuştul (Peristera) Manastırı/*Monastery*

Şimşirli (Kuştul) köyü. Trabzon-Maçka yolu 22. km'de (Esiroğlu kasabasına girmeden) solda "Şahinkaya" tabelalı yol ayrımı; 14 km bozuk yol.

Near Şimşirli (Kuştul) village, 36 km SE of Trabzon. Left turn signposted "Şahinkaya" at km 22 (dir. Maçka); poor forest road, 14 km, to trout ponds; then half-hour climb on foot. (The standard RV road map is confused on this and the next monastery.)

Sumela'nın ufağı. Tarihçesi aşağı yukarı aynı. Konumu aynı ölçüde başdöndürücü. 300 metrelik dik bir kaya kütlesinin tepesine manastır külliyesini kondurmuşlar. Daha çok Yunanistan'daki Meteora manastırlarını anımsatıyor. Dereler, çağlayanlar arasından giden güzel bir orman yolundan ulaşılıyor. Kuştul merkezine girmeden alabalık havuzlarının olduğu yerde arabadan inip yarım saat tırmanılıyor. Yılda onbeş-yirmi meraklısı çıkıyor.

Manastır binası 1906'da yanmış. Abdülhamid Han inayetiyle yeniden inşa edilmiş. 1923'te

Nearly as striking as Sumela but practically unknown to the tourist industry, the ruins of the monastery of **St George Peristera** *stand on top of a pillar of rock in the beautiful, isolated valley of Kuştul. The setting reminds of the monasteries of Meteora in Greece. The road goes through deep, wet forest, fording streams and cascades, skirting wildly overgrown flora.*

The history of the site parallels that of Sumela: the origins are mediaeval; the monastic buildings were re-constructed after a fire in 1906 and abandoned 17 years later. Few details and no frescoes

Kuştul...

terkedilmiş. İçeride bir şey bırakmamışlar. En güzel görüntü karşı tepedeki mahalleden.

Asıl adı **Ayios Yorgos ta Peristera**: *Güvercinli Ayyorgi. Türkler* **Hızır İlyas** diyor. Rumların Ayyorgi yortusu bizim Hıdırellez: eski takvimde 23 Nisan, şimdi 6 Mayıs.

survive, so instead of the difficult half-hour climb it may be worthwhile to drive on to the opposite side of the valley, where there are dramatic views of the site.

St George the Dragonslayer appears in Turkish folk mythology as the prophet Hızır İlyas – hence the local name of Hızır İlyas Monastery. The saint's name day on May 6 (April 23 on the Julian calendar), traditionally the first day of summer, is still observed by Turkish villagers.

Manastır

Dünyadan el etek çekerek çölde, dağda, mağaralarda, ağaç kovuklarında, metruk adalarda kendini ibadete verme adeti Hıristiyanlığın 3. yüzyılında zuhur etmiş. Mısır çölünden dünyaya yayılmış.

Harekete çekidüzen verme işini Kayserili **Aziz Vasil** (330-397) üstlenmiş. Hiçbir ruhani otoriteye bağlı olmadan yalnız yaşayan Münzeviler (monakhos, keşiş) hoş görülmemiş. İnziva hücrelerini bir araya getirip rahip sınıfından bir Başkeşişe itaat etmeleri, kilisede beraber ibadet etmeleri, aynı sofrada yemek yemeleri kurala bağlanmış. Kavramsal bir çelişki, yeni kurumun adına yansımış: monastiri, yani Münzevihane — Yalnızlarevi!

Batı Avrupa'da **Aziz Benedikt Nizamnamesi** (6. yüzyıl) manastırlara daha sosyal, üretime dönük bir nitelik kazandırırken, Doğuda ruhiyat ön planda kalmış. Bizans dünyasının en ücra dağları, en tuhaf ve ürpertici doğa oluşumları, en ulaşılmaz kaya yarıkları manastırlarla donatılmış.

Türkiye'de halen gerçek anlamda faaliyet gösteren iki manastır var. İkisi de Süryanilere ait, Mardin ilinde. İstanbul'da iki-üç Rum manastırı ithal gönüllülerle hayatta kalma mücadelesi veriyor.

Vazelon Manastırı / *Monastery*

Maçka-Zigana yolu 15. km'de "Köprüyanı-Kiremitli" işaretli yol ayrımı; 6 km bozuk yol, sonra 15 dakika tırmanış.

48 km SW of Trabzon. Right turn signposted "Köprüyanı-Kiremitli" 15 km after Maçka (dir. Erzurum); poor forest road for 6 km, then 15-min climb on foot.

Maçka manastırlarının üçüncüsü. Dik bir kayanın kovuğunda, balta girmemiş orman içinde. Öbür ikisine oranla konumu çok dramatik değil. Buna karşılık freskleri bir hayli sağlam duruyor. Tıpkı Sumela'daki gibi içinden su çıkan mağara kilisesi var. Kilise ortaçağ; üç katlı manastır binaları 19. yüzyıl sonu.

The third of the great monasteries of the Maçka Valley is located at the foot of a cliff in nearly impenetrable forest. The setting is less dramatic than the other two, but some excellent frescoes provide recompense. The church is set beside a natural spring. It is mediaeval, while the monastic buildings date from the end of the 19th century.

Vazelon Alabalık Tesisleri. Manastırın dibinde, yaz-kış açık. Tel: (0462) 552 7410. Trabzon irtibat tel: (0462) 321 4916.

Vazelon Alabalık Tesisleri, *a trout farm and restaurant at the foot of the monastery, open year-round. Tel: (0462) 552 7410. Trabzon contact (0462) 321 4916.*

Zigana Geçidi/ *Zigana Pass*

Trabzon 65 km. Rakım 2025 m.
65 km SW of Trabzon. Alt. 2025 metres.

Trabzon'u Erzurum'a bağlayan yol tarih boyunca Karadeniz dağlarının en önemli geçidi olmuş. Ortaçağda Asya'yı Avrupa'ya bağlayan büyük kervan yolu, Çin'de başlayıp Kaşgar, Semerkant, Buhara, Nişapur, Rey, Tebriz ve Erzurum üzerinden gelerek Zigana Geçidinden denize inmiş. Trabzon'dan deniz yoluyla Venedik ve Ceneviz'e ulaşmış.

MÖ 399 yılında tarihçi-asker **Ksenofon** komutasında felaketli İran seferinden dönen Onbinler, kış kıyamette Doğu Anadolu'yu aştıktan sonra burada ilk kez denizi görüp sevinçle "Thalassa!

The most famous of all Black Sea mountain passes marks the point where Asian trade routes historically crossed the Pontic Mountains to come down to the sea. Here in 399 BC the Athenian troops of **Xenophon** *caught their first glimpse of the sea after a disastrous trek across Mesopotamia and Armenia. Their cry of Thalassa! thalassa! ("the sea, the sea") has become proverbial.*

The sea is not actually visible from any point along the road. A 40-minute hike up from the old Pass brings you to a place where, locals will insist, the Black Sea can sometimes be spotted under its

thalassa!" ("deniz, deniz!") diye haykırmışlar. Batı dillerinde darbımesel olmuş. Kötü günlerin sonu anlamında.

Eski Zigana yolu on yıl önce terkedildi. Geçidi bir tünelle baypas eden yeni karayolu yapıldı. Eski geçidin heyecanı ve manzarası yenisinde yok. **Hamsiköy** içindeki ünlü sütlaç lokantaları da artık işlemiyor.

Dağın kuzeyindeki zengin orman örtüsünden güneydeki ıssız ve çorak yaylalara geçiş, her şeye rağmen unutulmaz bir deneyim.

quasi-permanent cover of cloud.

The pass has lost something of its old excitement ever since the opening of a road tunnel which cuts across the mountain at 1800 metres. Still, the sudden transition from the lush rainforest of the north to the vast and barren plateaus of the interior never ceases to awe.

 Hamsiköy içindeki ünlü sütlaç lokantaları yeni karayoluna taşındılar. Tatmak şart.

It is almost obligatory to taste the delicious sütlaç (rice pudding) in one of the roadside stops below the pass. The local milk is so thick you could cut it with a knife.

 Zigana Tatil Köyü. Güzel, keyifli bir tesis. Karadeniz yayla otellerinin en düzgünü. Ahşap bungalowları, alabalık havuzları var. Hamsiköy'ün üstünde. Tel: (0462) 512 2901. İrtibat tel: (0462) 326 5815.

Zigana Holiday Village *offers comfortable, heated bungalows in unspoiled evergreen forest just below the Zigana Tunnel. Tel: (0462) 542 6260. Contact tel: (0462) 326 5815.*

Gümüşhane

İl merkezi (29). Nüfus 22,000. Trabzon 120 km.

Capital of province (29). Pop: 22.000. 120 km S of Trabzon.

Eski adı **Argyropolis**, yani Gümüşkent. Gümüş madenleri milattan öncesinden beri işletilmiş. "19. yüzyılda tükenmeye yüz tutmuş. 1800'de Rum ve Fransız işletmecilere devredilmiş. 1910'larda tümden terkedilmiş."

Yeni kentte kayda değer bir şey yok. **Eski Gümüşhane** kentten 4 km yukarıda, ürkünç bir kaya boğazı içinde. Metruk konakları, yıkık kiliseleri ve kimsesiz minareleriyle atmosferli bir yer. Şimdi sekiz-on hane insan yaşıyor. Etraf elma, kayısı ve ceviz bahçeleri.

Tarih

Yukarı Harşit havzası tarihte **Haldiya** adıyla bilinen ülke. Eski çağda Haldi kavmi yaşamış. Madencilikle ün kazanmışlar. Bizans devrinde Rum dilini benimsemişler. Osmanlı döneminde uzun süre kendi Hıristiyan beyleri tarafından yönetilmişler. 1650'lerde topluca Müslüman olmuşlarsa da uzunca süre adaptasyon zorluğu çekmişler. 1857'de Osmanlı devleti din değiştirme özgürlüğü tanıyınca bir bölümü resmen Hıristiyanlığa dönmüş. Bölünen aileler olmuş. Gizli din taşıyan

*Gümüşhane means Silvertown, as does **Argyropolis**, the former name. The silver mines, operated from the 3rd millenium BC, formed a chief asset of the mediaeval empire of Trabzon. They became depleted in the 19th century and died in the 20th.*

*The new city is uninteresting. The abandoned **Old City**, situated in a terrifying gorge 4 km to the south, presents an evocative sight with its half-collapsed houses, gutted churches and solitary minarets.*

The landscape is already sharply drier than the north, but not yet as barren as the Anatolian interior. The Harşit valley is lined with orchards which produce a rich yield of apricots, mulberries and rosehips.

History

*The upper Harşit basin is the ancient country of **Chaldia**. It took its name from the Chaldians (or Chalybes), a nation famous in Antiquity for their mining skills. The region became Hellenised relatively late in the Middle Ages, and remained Christian until the middle of the 17th century. The secret practice of Christianity remained an issue until the 19th century. In 1857, encouraged by the recently proclaimed principles of religious freedom, a portion of the region's population apostatised from Islam – to the great surprise and consternation of Ottoman public opinion. The "turned ones" had to leave in 1923, leaving behind divided families and*

Eski Gümüşhane / Old Gümüşhane

hacılar, papaz olan müftüler zuhur etmiş. Sonuçta yanlış dini seçenler 1918-1923'te gitmek zorunda kalmışlar.

Karaca Mağarası

Türkiye'de halka açık mağaraların en güzellerinden biri. Görkemli sarkıt ve dikitleri var. Dört-beş yıl önce turizme açıldı. Torul yolu 12. km'den sapılıyor. Kasım-Nisan arası kapalı.

confused officials. The single opposition member of the 1923 nationalist Parliament was elected in Gümüşhane.

Karaca Cave

One of Turkey's most impressive caves, full of magnificent stalactites and stalamajigs. It is located 18 km northwest of the city, with a marked turn half way between Torul and Gümüşhane. It is closed November to April.

 Yeni Gümüş Hotel (2*). Berbat. Tel: (0456) 213 1574.

Yeni Gümüş Hotel *(2*). Bad. Tel: (0456) 213 1574.*

Korom Vadisi / *Korom Valley*

Karaca Mağarasından Yağlıdere-Olucak yönüne devam; Yağlıdere'den 4-5 km sonra sola toprak yol.

About 30 km NE of Gümüşhane. Turn right 12 km west (dir. Torul); drive past Karaca Cave to Yağlıdere; turn left on unpaved road about 4 km past Yağlıdere (the Ryborsch map is wrong here).

Gümüşhane köylerinin hemen hepsinde bir-iki kilise var. En çarpıcı olanı Korom (Kırom veya Khorom) vadisinde, eski adı **Kromni** yeni adı Uğurtaşı olan yarı metruk köy: 12-13 tanesi sağlam ve ayakta olmak üzere tam 27 kilise, çıplak, ıssız tepelerin üzerinden birbirini gözlüyorlar. Hepsinin yapım ve süsleme tarzı faklı. Biri cami olmuş.

Kromni'nin Rumca konuşan Müslüman ahalisi ikiyüz yıl boyunca gizliden gizliye Hıristiyan inancını sürdürmüşler. Her evin altına gizli ibadethane yapmışlar. 1857'de resmen Hıristiyan olduklarında çok sayıda kilise inşa etme gereğini duymuşlar.

Korom'dan **Camiboğazı Geçidi** (eski adı Kiliseboğazı) üzerinden aşağı yukarı 30 km stabilize yolla Sumela'ya varılıyor. Santa da yaklaşık aynı uzaklıkta. Issız ve muhteşem yerler. Dünyanın sonu.

The ruins of 27 churches, half of them standing and in relatively good shape, watch each other across a barren, gorgeous landscape in this utterly remote and undiscovered place on the southern face of the Zigana mountains.

The semi-deserted village now called **Uğurtaşı** *was formerly the important mining community of* **Kromni**. *The Greek-speaking Muslim population of the town converted en masse to Christianity in 1857, and apparently had the urge to build a glut of churches at that time. One of these serves as a very modest mosque; the others remain derelict.*

A dusty but reliable summer road connects Korom with Sumela, about 30 km on via the **Camiboğazı Pass**. *Another road takes you to Santa in about the same distance. Both roads go through lonely, majestic highlands that feel very much like the world's end.*

Dumanlı (Santa)

Yanbolu'dan (Arsin-Araklı arası) 52 km bozuk yol. Sümela'dan Dilaver Otel yoluyla 30 km bozuk yol. Ayrıca Zigana geçidinden ve Gümüşhane-Yağmurdere üzerinden ulaşım var.

52 km from the coast up Yanbolu Valley (turn at river bridge between Arsin and Araklı). Or 30 km from Sumela Monastery via Hotel Dilaver. Very bad road in both cases.

Karadeniz dağlarının en ulaşılmaz yerlerinden biri. Aslında Yanbolu vadisinin üst ucu. Ama Yanbolu yolu o kadar kötü ki, normal olarak yayladan — Yağmurdere veya Sumela üzerinden — ulaşılıyor.

Ağaç hattının üst sınırında, 1500-1800 metrede, dik yamaca kurulu 7 pare köyün ortak adı Santa. Aslı muhtemelen Ksantha (Rumca "Sarı"). Şimdi **Dumanlı** olmuş. 18. yüzyılda tam niteliği anlaşılmayan nedenlerle dağa çekilme ihtiyacı duyan birtakım Rumlarca iskan edilmişler. Her birinde kaba taştan, cüsseli bir kilise harabesi duruyor. Evler de kesme taştan. Karadeniz bölgesinde bu yükseklikte yaz-kış oturulan başka köy yok.

Santa is the collective name for seven hamlets built on vertiginous ground in a nearly inaccessible fold of the Pontic Mountains. It is located in the upper Yanbolu valley; but the valley route is so long and arduous that the more usual way of reaching the area is over the yayla, ie. by way of Gümüşhane-Yağmurdere or Maçka-Sumela.

The hamlets were settled 200 or 300 years ago by some Greeks who must have had good reasons to move so high and so far. They are probably the highest continuously inhabited settlements in the Black Sea region. Houses are built of dressed stone. The skeleton of a huge and rather rough church stands abandoned in each hamlet.

*The name has been officially Turkicised as **Dumanlı** ("Smoky"), probably referring to the fog which envelops the area almost permanently in summer.*

Kov Kalesi / *Kov Castle*

Gümüşhane-Bayburt yolundan Erzincan yönüne saptıktan biraz sonra Kov köyü içinden 15 km kötü yol, sonra 45 dak. dik patika.

33 km SE of Gümüşhane. From the Gümüşhane-Bayburt route, turn S toward Erzincan; turn W on poor road in Kov village; drive ca. 15 km, then climb 45 min. on foot.

Anadolu'daki en dehşetli Bizans kalelerinden biri. Kuş uçmaz kervan geçmez bir dağ başında, inanılmaz sivrilikte bir tepenin üstünde: masallardaki gibi. Karayolundan gözükmüyor. Kov köyü içinden 5-6 km tırmanınca birdenbire ortaya çıkıyor.

Yıl 1361. Trabzon imparatoru III. Aleksios Bayburt emiri Latif Hoca'ya karşı Gümüşhane madenlerini korumak için yaptırmış. Kale kasabasına adını veren Kovans Kalesi de aynı dönemden.

A magnificent fortress, straight from mediaeval romance, stands on top of the sharp horn of Mt. Kov. It is not visible from the main road, but reveals itself in full glory after a few steep kilometres up from the village of Kov on a bumpy gravel road.

*Emperor Alexius III of Trabzon built the castle in 1361 as part of a chain of fortifications to protect the silver mines of Gümüşhane from the bey of Bayburt. The **Castle of Kovans**, which gives its name to the town of Kale ("Castle"), dates from the same time.*

Bayburt

Bayburt

İl merkezi (69). Nüfus 38,000. Gümüşhane 70 km, Trabzon 180 km.
Capital of province (69). Pop: 38,000. 70 km E of Gümüşhane; Trabzon 180 km.

Anadolu'nun muhtemelen en tutucu kasabası. Hemen tüm kadınlar, vücudu tepeden tırnağa örten kahverengi çuval modasını izliyorlar. Ara sokaklara yabancı araba girince kadın-kız apar topar kaçışıyorlar. İçkili lokanta yok. Afganistan gibi bir yer.

Bayburt Kalesi muazzam. 6. yüzyılda Jüstinyen yaptırmış; 13. yüzyılda Erzurum padişahı Mugisüddin Tuğrılşah mimar Lülü'ye onartmış. 1829'da Bayburt meydan muharebesinden sonra Paskieviç'in orduları tahrip etmiş.

Ulucami Saltukoğullarından. 1225. **Yakutiye** camiini 1315'te Moğol valisi yaptırmış.

The most conservative of all Anatolian cities, Bayburt still likes its women clad in brown sacks which cover the body from tip to toe and protect the wearer's face from unwelcome eyes. No one dares to sell alcohol, and anyone who publicly eats or drinks or smokes during the fasting month of Ramazan will do so at the risk of much unpleasantness.

*The stupendous **citadel** which crowns the city was built by Justinian in the 6th century and rebuilt by the sultan of Erzurum in the 13th. A mosque and a church were added by the latter, who was technically a vassal of the Christian queen of Georgia. The armies of Paskievich demolished some of the walls after the Russian victory at the Battle of Bayburt in 1829.*

*The **Grand Mosque** (1225) belongs to the local dynasty of the Saltuks. A Mongolian governor built the **Yakutiye Mosque** in 1315.*

 Çoruh Lokantası. Çoruh kıyısında, söğüt ağaçları altında.

 Kentin en (ve tek) düzgün oteli **Hotel Adıbeş.** Tel: (0458) 211 5813.

Çoruh Lokantası, *under weeping willows by the riverbank, city centre.*

The only reasonable hotel in country is **Hotel Adıbeş** *Tel: (0458) 211 5813.*

Kastel Konağı / The Kastel of Sürmene

Sürmene

Nüfus 17,000. Trabzon 40 km. / Pop: 17,000. 40 km E of Trabzon.

Pazarı Salı günü. Akılda kalan görüntü: kırmızı keşanlı yüzlerce kadın. Balkabağı kıvamında nefis mısır ekmeği bulunuyor.

Kasabanın 4 km doğusundaki **Kastel Konağı** Karadeniz'de eski sivil mimarinin ayakta kalan en muhteşem örneği. 1800 yılı dolaylarında Yakupoğlu derebeyi ailesi tarafından yapılmış. Uzun yıllar TKP genel sekreteri olan Zeki Baştımar (Yakup Demir) bu aileden.

Konak halen ailenin mülkiyetinde; metruk. Restore edileceği söyleniyor. İçeride harikulade detaylar var: bekçiyi ikna edip kapısını açtırmaya değer. Havalandırma sistemi şık. Mazgal delikleri savunma amaçlı.

The Tuesday market blooms with thousands of peasant women wearing the red keşan. The local maize bread has the consistency of sweet red pumpkins; it is extremely tasty when fresh.

*The **Kastel**, 4 km east, is the most magnificent example of traditional Black Sea civil architecture to survive (more or less) to the present. It was built around the year 1800 for the Yakupoğlu dynasty of valley lords, and remains in the possession of the same family, although it has been padlocked and left to rot for many years. It is worth seeking out the guard for the sake of the fascinating details of the interior, which include an ingenious air-circulation system and some fabulously decorated ceilings. The figurative wall paintings are characteristic of the European-influenced late-18th century Ottoman art.*

Konağın tam önünden geçen eski yol 1916'da Rus işgali zamanında yapılmış. Bu sahilde yapılan ilk karayolu. Daha önceden Rize-Trabzon arası ancak denizden gidilirmiş.

Köyler

10 km kadar içeride **Dirlik** (Cida) köyü: Karadeniz'in güzel köylerinden. Biri camiye çevrilmiş öbürü harap iki kilisesi var. Taş patikalar, su kanalları 80 yıldır bozulmamış. Kiraz ve ceviz bahçeleri arasında, olması gerektiği gibi bir köy.

Daha ileride, Köprübaşı'nın üstündeki beş köy ahalisi halen Rumca konuşuyor. Resmen Sürmene'ye bağlı oldukları halde aslen "Ofli" oldukları söyleniyor. **Yılmazlar** (Mezire) köyünden çıkan seçkin şahsiyetler arasında bir bakan (Adnan Kahveci), bir cunta üyesi (Albay Ahmet Kahraman), bir diyanet işleri başkanı (Dr. Said Yazıcıoğlu) var. İlkokulda Türkçe öğrenmişler.

Beş köyün idari merkezi olarak kurulan **Beşkonak** bucak merkezi 1998'de sel baskını sonucunda haritadan silindi.

Zeki Baştımar, secretary general of the outlawed Turkish Communist Party for a very long time, was a Yakupoğlu.

In its heyday the castle was only accessible from the sea. The old carriage road that forms a loop around it was built during the Russian occupation in World War I. The modern road was built on reclaimed land in the 1950s.

Villages

Dirlik, a pretty village about 10 km inland, retains two fine old churches, some moss-covered cobblestone footpaths and a system of irrigation channels built more than 80 years ago.

*The Greek language is still spoken at home by the inhabitants of some villages above **Köprübaşı**, further up. Several prominent Turkish politicians, military chiefs and a former Director of Religious Affairs, the supreme Turkish authority in Islamic matters, originated in these villages.*

Of

Nüfus 22,000. Trabzon 52 km. / Pop: 22,000. 52 km E of Trabzon.

Solaklı ve Büyükdere (Baltacı) vadilerinden oluşan ülkenin adı Of. Sahildeki **Solaklı** köyü ilçe merkezi olunca Of adını almış. Sonradan **Çaykara** ilçesi (merkez köyü Kadahor) ayrılmış.

Bir-iki nesil öncesine kadar hakim dil Rumca idi. 17. yüzyılın ikinci yarısında yerli halkın çoğu din değiştirip Müslüman olmuşlar. 19. yüzyıl ortalarında bir kısmı cayıp tekrar Hıristiyan olmaya kalkınca uluslararası mesele çıkmış. Şimdi Türkiye'de metrekare başına en çok cami ve kuran kursu düşen bölge. Eskiden cuma vaazını bazen Rumca verirlermiş. Diyanet yasaklamış.

Çaykara yolundaki **Hapşiyas** köprüsü Karadeniz'in en pitoresk köprülerinden biri. Kiremitle kaplı ahşap galeri. Beş-on yıl önce restore ettiler. 1998'de gene yıkıldı.

The twin valleys of Of (formerly Ophis) have historically been the home of some of the most idiosyncratic, proud and irrepressible communities of the Black Sea mountains. Once, they were famous for their lawless brigandage; since their conversion about 300 years ago, they have also been famous for their flamboyant devotion to Islam. No other part of Turkey boasts so many extravagant mosques and religious schools per square metre. Preachers from Of are sought across the country both for their learning and their vivid, humorous style.

Greek was the dominant language of the district until a generation ago. Older people still speak it as their first language, although they don't like to advertise the fact.

*Of-town is uninteresting. **The interior**, by contrast, is a beautiful country of steep mountains and jungle-like forest. You see plenty of rambling old-style houses, perched on impossibly steep slopes where hand-operated pulleys are the only easy mode of transport. Many houses are built with a technique called kadama, with blocks of cut cobblestone fitted into a framework of chestnut. Here and there one comes across the characteristic roofed suspension bridges of the region.*

Hapşiyas
Köprüsü
Hapşiyas
Bridge

Pontos Rumcası Öğrenelim
Learning Pontic Greek

Trabzon ilinin tüm yukarı kesimlerinde ve bilhassa **Tonya**, **Maçka** ve **Of/Çaykara** ilçelerinde Pontos Rumcası yaygın dil. Standart Rumcadan bellibaşlı farkları k yerine "c", kh yerine "ş" sesi kullanılması. İsim ve fiil ekleri de hayli değişik.

*The Pontic dialect of Greek is widely spoken in the upper parts of Trabzon province, specifically in the districts of **Tonya**, **Maçka** and **Of/Çaykara**. It differs from standard Greek in its phonetics and some grammatical endings. We transcribe the following phrases in accordance with Turkish rules – ie. **c** is a j as in jujube, and vowels have non-English values.*

Rumca ekseris mi?	Rumca bilir misin?	*Do you speak Romaic?*
Onoma su do ine?	Adın nedir?	*What is your name?*
Do eftiyas?	Nasılsın?	*What do you do?*
....		
E patsi tinos ise/	Ey kız kiminsin sen	*Who is it you love*
Panta hastalayevis/	Böyle hasta olursun	*that you look like doom,*
Son kolfos ta meyvadas/	Koynunda meyvaları	*is it for him you save*
Ya tina saklayevis.	Kimlere saklıyorsun?	*the berries of your bosom?*

(Ömer Asan'ın Pontos Kültürü kitabından. Belge Yayınları, 1996.)

Uzungöl

Of 47 km; asfalt yol. Rakım 1030 m.

47 km S of Of; paved road. Altitude 1030 m.

Olağanüstü güzel bir yerdi. Turizme "açıldı"; tadı kaçtı. Göl kıyısında bitmemiş apartmanlar ve briket barakalardan oluşan çamur-batak bir çarşı türedi. Süleymaniye'ye meydan okuyan bir de beton cami yapıldı. Cami avlusunda takkeli dedeler oturup Rumca sohbet ediyorlar.

Gölün biraz yukarısındaki **Uzungöl** (Şerah) köyünde 15 yıl öncesine dek bütün evler eski usul ahşaptı. Yarısı bile kalmadı, betonlandı.

Gölden yukarısı bakir. Şerah içinden devam eden yol **Soğanlı** (Hopşera) yaylasına çıkıyor. Oteller mıntıkasından giden yol ise, alabildiğine muhteşem doğa içinden geçip **Demirkapı** (Haldizen) yaylasına ulaşıyor. Yayladan Haldizen Dağı zirvesi (3376 m) iki-üç saatlik yürüyüş. Etrafta yarım düzine moren gölü var. Manzara güzel.

Demirkapı'dan Anzer-İkizdere tarafına (bak. Ovitdağı, sf. 125) 3-4 saatte yürümek mümkün. Yazın arabayla da geçilebildiği söyleniyor. Biz denemedik.

Çaykara'nın 4 km yukarısından (Uzungöl ayrımına gelmeden önce) ayrılan bir toprak yol, 15 km ileride **Sultanmurat** yaylasına ulaşıyor. 23 Haziran'da yapılan şenliği ünlü. Yedi vilayetten insan geliyor. Horonun hası oynanıyor.

Sultanmurat'ın yukarısında güzel iki manastır harabesi varmış. Göremedik.

*This beautiful highland lake has lost some of its charm ever since it was "discovered" for tourism about a decade ago. A ramshackle market has grown on its edge, and a mosque has been built to rival the Grand Mosque of Shangri-La. Brick and concrete have made inroads in the village of **Uzungöl** (Şerah), an all-timber idyll 20 years ago.*

*Above the lake is still virgin territory. One road continues through the village to the **Soğanlı** (Hopşera) yayla, affording stupendous mountain views along the way. Another road climbs through the hotel district to the **Demirkapı (Haldizen)** yayla, located immediately below the peak of Mt Haldizen (3376 m). This is good hiking territory, with half dozen glacier lakes located within a day's trek.*

It is a three or four hour walk from Demirkapı to the roadhead on the İkizdere side (see Ovitdağı Pass, next page). We are told it is possible to drive across in summer, though we haven't had a chance to check.

*A separate road branches west 4 km above Çaykara for the **Sultanmurat** yayla, where a popular summer festival is held on June 23.*

 Uzungöl'de düzineyi aşkın konaklama tesisi arasında en eski ve oturmuş olanı **İnan Kardeşler Tesisleri**. Sevimli ahşap bungalowlar, keyifli restoran. Yiyecekler: muhlama, alabalık, sütlaç. Alkol yok. Tel: (0462) 656 6021.

Sultanmurat Yaylasında **Taşkın Hotel**. Dağevi şeklinde güzel, özenli tesis. Tel: (0462) 326 4522.

İnan Brothers *are the oldest and best-known among a dozen hotel-restaurants huddled together at the S end of the lake. Accommodation in comfortable wooden bungalows; wonderful food, but strictly no alcohol. Tel: (0462) 656 6021.*

Taşkın Hotel *comes recommended in the Sultanmurat Yayla. Tel: (0462) 326 4522.*

Soğanlı Geçidi / *Soğanlı Pass*

Of-Bayburt arası. Of 60 km. Rakım 2330 m.
Between Of and Bayburt; 60 km S of Of. Alt. 2330 m.

Karadeniz geçitlerinin en mükemmeli. **Solaklı** vadisinin sonunda, 600-700 metrelik bir duvara 22 virajda tırmanılıyor. Yolu 1916'da Ruslar yapmış. Birkaç yıl öncesine dek eski kaldırım taşları duruyordu. Şimdi dozer vurdular. Bozuk stabilize. Heyecanlı.

40 km sonrası Bayburt. Geçitten hemen sonra sola ayrılan bir yoldan devam edip tekrar Uzungöl'e inmek mümkün.

Yoldaki **Ataköy** (Şinek) köyü rahmetli Cevdet Sunay'ın memleketi. Çarpıcı güzellikte yerler.

The most spectacular of Black Sea mountain passes negotiates a 700-metre wall through 22 hairpin bends. Below them is the wild rainforest of the Of uplands; above is the bleak and treeless plateau of Eastern Turkey, a very different world. The road was built during World War I, and does not seem like it has been repaired much since.

A side road leads from the top of the pass to Uzungöl, so it is possible to drive up one way and down another.

Ovitdağı Geçidi / *Ovitdağı Pass*

Rize-Erzurum arası. Sahilden 65 km. Tümü asfalt. Rakım 2600 m.

Between Rize and Erzurum; 65 km from the coast. Closed Nov-May. Alt. 2600 m.

Karadeniz dağlarının en güzel geçitlerinden biri. Her zaman sislere gömülü uçsuz bucaksız bir yayladan birdenbire uçurumlara, ormanlara iniliyor. Yaylada mayıstan temmuza dek inanılmaz bir çiçek bolluğu var. Sarı, mor, mavi, beyaz ve uçuk pembe halılar üzerinde binlerce koyun dolaşıyor.

Yolda yer yer dik kaya kovuklarına yerleştirilmiş eski usul arı kovanları dikkati çekiyor. Ayılardan korumak için buralara koymuşlar.

Anzer (yeni adı Ballı) Yaylasına ulaşmak için İkizdere'den 9 km yukarıda batıya sapan vadi yolunu 25 km kadar izlemek gerekiyor. Ünlü Anzer balı buralardan geliyor. Kilosu 200 dolar. Anzer'den Uzungöl tarafına yol var(mış).

A magnificently panoramic road climbs through forest and wild ravines to the ever-foggy, limitless yayla. The highlands are covered from May to July with a most amazing blanket of wildflowers. Enormous flocks of sheep graze on natural carpets of intense yellow, purple, sea-blue and cottonflower-pink.

*Bee-keeping is a common occupation. The honey of the **Anzer (Ballı)** yayla is famous nationwide (it sells at 200 dollars per kilo). Some beehives are built on wooden contraptions hung from sharp cliffs to protect them from roving bears.*

*The road to Anzer branches off 9 km above İkizdere. It continues in – reportedly – driveable condition to the **Haldizen (Demirkapı)** yayla, from where it is an easy drive down to Uzungöl.*

İkizdere'den 15-20 km yukarıda yarım düzine et-mangal ve alabalık tesisi. Çamlık Alabalık'ta bazen ilginç yöresel çeşitler bulunuyor. Dereden bardakla su içiliyor. Tel: (0464) 476 8012.

*Half dozen self-service barbecue restaurants and trout farms are lined along the way 15-20 km above İkizdere. **Çamlık Alabalık** offers regional dishes. Tel: (0464) 476 8012.*

Genesis Hotel. İkizdere'den 15 km yukarıda, orman içinde, dünyadan kopuk beton bina.Fena değil. Tel: (0464) 476 8090.

Genesis Hotel, *hidden in forest 15 km above İkizdere, has acceptable standards. Tel: (0464) 476 8090.*

Şimşirli Camii / *Şimşirli Mosque*

**Şimşirli (Komes) köyü. Sahilden İkizdere yönüne 30 km. İkizdere'ye
9 km kala beton köprüden Orta mahalleye 2,4 km çok dik yol.**

In Şimşirli (Komes) village. Right turn on concrete bridge 30 km up from the coast (dir.
İkizdere); very steep 2,4 km road to Ortamahalle district.

Adam boyu büyümüş mısır,
fasulya ve kabak tarlaları
arasından camiye iniliyor.
Bütünüyle kestane ağacından inşa
edilmiş. İç mekan iki katlı, oya gibi
işlenmiş. Naif değil: sanatkar işi.
İnsana coşku veren bir sükunete ve
mükemmelliğe sahip. Pencereler
400 metre derinlikte ormanlık bir
vadiye bakıyor. Bitişikte dünya
güzeli bir-iki ahşap konak var.

Kitabeye göre Hicri 1265'te (miladi
1849) yapılmış. Eskiden yörede
buna benzer camiler çokmuş.
Hepsini son yıllarda yıkıp
betonarmesini dikmişler. Nasılsa
korunmuş bir başka harikulade
ahşap cami birkaç kilometre
aşağıda, **Güneyce**'de. Ünlü Güneyce
medresesinin yanında.

*This delightful gem of a mosque
was built entirely of chestnut and
carved with great virtuosity in
1848-49. It hides behind a jungle of
bean fields and maize stalks in a
beautiful village, tilted above a
breathtakingly steep valley. The
environment is remarkably
peaceful, and free of all modern
intrusions.*

*Similar mosques used to be
common in villages of this region;
with two or three exceptions
(another one is in the village of
Güneyce, a short distance north),
they have all been replaced with
concrete monstrosities.*

 Madensuyu Et Mangal. Karayolundaki
ahşap asma köprünün devamında.
Doğal madensuyu kaynağı. Harika
tereyağı. Tel: (0464) 466 7589.

Madensuyu Et Mangal. *By a natural
mineral spring on the riverside, across
an old suspension bridge just above
the Şimşirli turnoff. Superb butter.
Tel: (0464) 466 7589.*

Çay / Tea

Trabzon'un 30-35 km doğusunda Araklı ile Sürmene arasında çay ekim alanı başlıyor. Ondan sonrası Sarp sınırına kadar deli yeşil koyun sürüleri gibi, çay tarlası.

Çay bitkisinin (camellia sinensis) anavatanı Çin. İngilizler tarafından Hindistan'a getirilmiş. 1917 İhtilalinden sonra İngiltere Rusya'ya ambargo koyunca Sovyet yönetimi tarafından Batum civarına ekilmiş. 1930'larda Ziraat Umum Müdürü **Zihni Derin**'in gayretiyle Rize'de çay üretimi başlamış. Demokrat Parti zamanında sistemli bir politikayla teşvik edilmiş. Doğu Karadeniz'in ana gelir kaynağı olmuş.

Çalı iyi budanırsa 50 yıl kadar yaşıyor. Yazın üç kez mahsul alınıyor. Kanunen ikibuçuk yaprağa izin var, ama uygulamada beşbuçuk yaprağa kadar kesiliyor. Çuvallar dolusu Çay Toplama Merkezlerine yığılıyor. Fabrikada yıkanıp kıyıldıktan sonra birkaç gün ılık ortamda mayalanması bekleniyor. Sonra kurutuluyor. En iyisi Mayıs'ta toplanan birinci mahsul çay. Yaygın kanının aksine, ince kıyılmış çay bütün yapraktan daha makbul.

1980'lere dek **Çay-Kur** tekeli vardı. Özal döneminde özel fabrikalar açıldı. Sürmene'den Sarp'a kadar adım başı çay fabrikası var. Meraklı konuklara kapıları genellikle açık.

The tea fields begin just east of Trabzon. Beyond Sürmene, they cover every slope, garden and backyard like so many flocks of electric-green sheep. The tea country is a narrow strip 150-km long and barely 10 km deep. It yields some 150,000 tonnes of dry tea a year, just enough to keep the national addiction supplied.

The camellia sinensis originated in China. It was planted in India and Ceylon by the British, who spread the tea habit to the world. When a British embargo cut Russian supplies after the Bolshevik revolution in 1917, the Russians began cultivating tea along the Georgian coast of the Black Sea.. Planting on this side of the border began in the '30s through the single-handed efforts of **Zihni Derin**, whose modest bust stands at the entrance of the Tea Institute in Rize.

Teabuds are cut, as a rule, three times in summer. Only women work at tea, and the sight of a dozen red shawls bent over the tea bushes is a photographer's delight in the season. Women then carry the buds to gathering stations in enormous straw baskets. They are washed and cut in tea factories, left to ferment for a few days, then blow-dried for packing. The sweet smell of fermented tea permeates the land from May to September, forming an indelible aromatic imprint.

Rize

İl merkezi (53). Nüfus 74,000. Trabzon 75 km.

Capital of province (53). Pop: 74,000. 75 km E of Trabzon.

Yeşil bir kent. Ufak, uzak bir sınır kasabasıyken 1950'lerden sonra çay sayesinde kalkındı. Apartman boşluklarına, sanayi sitesinde tamirhane avlularına kadar her yere çay dikmişler. Çaydan artan yerlere apartman yapmışlar. 8. yüzyıldan kalma uyduruk bir Bizans kalesi dışında tarihten iz yok.

Görmeye değer tek yer **Çay Enstitüsü**: kente hakim bir tepede güzel, bakımlı taşra parkı. Seraları gezip bilgi almak mümkün. Çay bahçesi popüler: liseli aşıkların ve kent seçkinlerinin uğrak yeri. Türkiye'nin 250.000 çayhanesinde hangi çay içiliyorsa burada da aynı çay içiliyor. "Değişik bir şey var mı?" diye sorunca şaşkın bakakalıyorlar.

Çarşıda yerel dokuma bezler, keşanlar, dolaylıklar, pikeler ilginç. Oyalanmak istemeyenler Çayeli karayolu 10. km'de **Tekpa** fabrika satış mağazasına uğrayabilir. Tel: (0464) 246 2425.

The vegetation around Rize is nearly tropical in its luxuriance. The city consists of a large number of high-rise apartment buildings and an equally large number of tea fields invading every hill, plot and yard. The historic legacy is limited to one rather poor 8th century fortress.

*The **Tea Institute**, located on a hilltop with view, is at once a research institution, botanical garden and public teahouse, dedicated to the city's principal product. It is a good place to go people-watching at sunset while tasting from a vast variety of local teas.*

*Another regional product is the attractive hand-woven textiles that form part of the traditional women's clothing. These are available widely in the bazaar, but shopping at the **Tekpa** manufacturer's outlet, 10 km out on the Çayeli road, saves time. Their number: (0464) 246 2425.*

Lale Restaurant. Beş katlı nezih aile müessesesi. Etli kurufasulyesi ünlü. İçkisiz.

Lale Restaurant, in city centre, famous for its etli kurufasulye, a sort of chili bean casserole with chunks of lamb and bone marrow. No alcohol served.

Dedeman Hotel.(4*). 5 km batıda deniz kıyısında. Tel: (0464) 223 5344. **Asnur Hotel** (3*). Yeni. Kendi tarzında çok iyi. Güleryüzlü candan servis. Tel: (0464) 214 1751. **Keleş Hotel**. (2*) Yılların favorisi. Tur grupları nedeniyle bazen kalabalık. Tel: (0464) 217 8641. Diğer otellerin çoğu Nataşa işletmesi.

Dedeman Hotel (4) by the seashore 5 km E. Tel: (0464) 223 5344. **Asnur Hotel** (3*) A new hotel with impeccably friendly service. Tel: (0464) 214 1751. **Keleş Hotel** (2*) Old and well-established; often overfull. Tel: (0464) 217 8641. Most other hotels are in the natasha trade.*

Çayeli

Nüfus 19,000. Rize 20 km. / Pop: 19,000. 20 km E of Rize.

Eski adı **Mapavri**. Çok sayıda müteahhit ve siyasetçi yetiştirmesi ile ünlü. Mesut Yılmaz'ın memleketi.

Ortaçağda Trabzon Rum devletinin doğuda son kalesi ve sınırı olmuş. Osmanlı döneminde Trabzon vilayetinin doğu sınırını teşkil etmiş. Bugün de Karadeniz kıyısında anadili Türkçe olan son yerleşim. Doğusunda Lazca konuşuluyor.

Geleneksel giyimde de Çayeli sınır. Giresun civarından buraya kadar kadınlar kırmızı çubuklu keşan (peştemal) ve dolaylık giyiyorlar. Pazar ve ötesinde bu giysiye rastlanmıyor.

Kültürel sınırların bin yılları aşan kalıcılığı ilgi çekici.

*The very un-Turkish name of **Mapavri** was converted to Çayeli ("Teatown") in honour of its chief product. An extraordinary number of building contractors and politicians come from this town, among them former premier Mesut Yılmaz, and the Istanbul city bosses – at one time or another – of every single major Turkish political party.*

In the past the town marked the eastern limit of the Byzantine Empire and the farthest extent of the Greek language. Interestingly, Çayeli is now the last town on the coast where Turkish is spoken as the native language. Laz predominates further east.

Husrev Restaurant ve **Apart Otel**. Kurufasulyesi efsane. Politika ve magazin dünyasının tüm ünlüleri uğramış. Çayeli doğu çıkışında. Tel: (0464) 532 7037.

Husrev Restaurant & Apart Hotel. *A legend in the field of kurufasulye, and a popular stop for political worthies. E end of Çayeli. Tel: (0464) 532 7037.*

Pazar

Nüfus 13,000. Rize 40 km. / Pop: 13,000. 40 km E of Rize.

Eski adı **Atina**. Antik çağda büyük Athena tapınağı varmış. Bjişkyan'a göre "buradaki halk mahir satıcılar olup, esir ticareti ile meşgul Lazlardır." Bjişkyan'ın sözünü ettiği ticaretin konusu, denizin karşı kıyısından teknelerle getirilen Abhaz ve Çerkes köleler. İstanbul ve Mısır pazarlarına sevkedilirlermiş. 1854'te yasaklanmış. Bir süre sonra Ruslar Çerkezistanı zaptedince zaten sevkiyat kaynakları kurumuş.

İlçede kayda değer bir tarihi kalıntı yok.

Lazlar

Pazar ile Batum arasındaki kıyı şeridi halkı Laz. Yani hakiki Laz, veya mokhti Laz. Konuştukları dil Lazca: Güneybatı Kafkas dilleri grubundan, Gürcüceyle akraba bir dil. Yaygın kanının aksine Rumcayla ilgisi yok. Türkiye'de sadece beş ilçede yerli halk tarafından konuşuluyor: **Pazar**, **Ardeşen**, **Fındıklı**, **Arhavi** ve **Hopa**. Sınırın öte yanında da birkaç Laz köyü var. Toplam nüfus 160.000 dolayında. 1999'da Türkiye'de ilk kez bir Lazca-Türkçe Sözlük yayınlandı.

"Laz" adına bu bölgede 3. yüzyıla doğru rastlanıyor. Kökeni karanlık. Belki Batı Gürcüce konuşan yerli aşiretlerden birinin adı. Belki yerliler üzerinde hakimiyet kurduktan sonra dilce asimile olmuş bir yabancı grup. Bir teoriye göre istilacı Cermenlerin soyu. 6. yüzyılda Lazlar yüzünden Bizans ile İran arasında 50 yıl süren savaşlar çıkmış.

The town was formerly called **Atina**, possibly in reference to a temple of Athena, which existed here in Antiquity. Trading in Circassian and Abkhazian slaves was a major occupation until the middle of the 19th century.

The Laz Country

The inhabitants of the coastal strip between Pazar and Batumi speak **Laz**, a Southwest Caucasic language related to Georgian. The five townships of Pazar, Ardeşen, Fındıklı, Arhavi and Hopa have an aggregate Laz population of about 160,000. The **Mingrelians**, who live in Georgia north of the city of Batumi, speak a closely related language; they are (nominally) Christians whereas the Laz have prided themselves in Muhammed's faith since the 17th century.

A **Lazic Kingdom** first emerges in the 3rd century AD. Its origins are obscure: the predominance of blond and red heads among the Laz has given rise to some fanciful speculations, including of Germanic or Viking invaders. Neither the Byzantine nor the Ottoman Empire ever succeeded in subjugating the area fully.

Pazar...

Yavuz Selim devrinde Osmanlı'ya boyun eğmişler. Müslüman oluşları 17. yüzyıl dolayı. 1828'i izleyen yıllarda **Tuzcuoğlu Memiş Bey** önderliğinde Trabzon valisine isyan etmişler.

Gürcistan'da Batum'un kuzeyinde Zugdidi yöresinde yaşayan halkın adı **Mingreller**. Dilleri Lazcayla hemen hemen aynı, ancak dinleri (bir bakıma) Hıristiyan. Gürcü milliyetçileri Mingrelceyi Gürcüceden ayrı bir dil kabul etmiyorlar. Israr edince hava gerginleşiyor.

Bjişkyan'a göre "Lazistan kadınları ve hususiyetle ileri gelenlerin hatunları Amazonlar gibi cesur kadınlar olup kocalarını emirleri altına almışlardır."

There has been no serious attempt to write the Laz language down, and there has never been any formal instruction in this language in modern Turkey. The greatest scholar of modern Laz is the French linguist Georges Dumézil. A first-ever Turkish-Laz dictionary was published in 1999.

Lazca Öğrenelim / Learning Laz

70 kilometrelik sahil şeridinde Lazcanın iki ayrı diyalekti konuşuluyor. Pazar-Ardeşen lehçesi ile Viçe-Arhavi-Hopa lehçesi birbirinden hayli farklı. Aşağıdaki ifadeleri Hopa'da derledik.

Two separate Laz dialects are spoken within a 70-km long strip. The speech of Pazar/Ardeşen differs from that of Viçe, Arhavi and Hopa. We picked up the following phrases in Hopa. Undotted ı is closer to English "er" than Turkish "ı"; ğ is like the French rolled "r"; c is like "j" in Joe.

Muco şiye	Nasılsın?	*How are you?*
Vrossi vore.	İyiyim.	*I am well.*
Skanı cıkho mu en?	Adın ne?	*What is your name?*
Sımişi be'e?	Kimin oğlusun?	*Whose son are you?*
Lazuri gişkuni?	Lazca bilir misin?	*Do you speak Lazuri?*
Si dido ğo'ob.	Seni çok seviyorum.	*I love you greatly.*
Koçi, okhorca, bera	Erkek, kadın, çocuk	*Man, woman, child.*

Ardeşen

Nüfus 33,000. Rize 47 km. / Pop: 33,000. 47 km E of Rize.

Tüm Laz kasabaları gibi Ardeşen'de de atmacacılık yaygın. Yıllar önce, atmaca meraklılarının toplandığı bir kahvede televizyonda futbol maçı verilirken 10-15 kadar kuşun ayaklarından zincirli olarak sandalye arkalarına ve vestiyere tünediklerine tanık olmuştuk. Gol oldukça hep birlikte sıçrayıp uçuştular.

Atmacalar Eylül-Kasım aylarında tutuluyor. Kış boyunca av için eğitildikten sonra bıldırcın avlamak için kullanılıyorlar. Terbiye edilmiş bir kuş 100 ila 200 dolara müşteri buluyor. Daha yırtıcı olan şahinler, yüksek meblağlar karşılığında Körfez Araplarına satılıyor.

Son yıllarda Ardeşen'de atmaca hastalarının buluşma yeri **Kahyaoğlu kahvesi**. Belediye binasının yanı.

Hawking is a passion in Ardeşen as in all other Laz towns. Years ago, we watched a football match on television in an Ardeşen cafe– which was frequented by hawk buffs. More than a dozen birds stood chained to the coat rack or the backs of chairs. They jumped and screamed with everyone else when there was a goal.

Young hawks are caught in autumn and trained through winter for quail-hunting in summer. A trained bird sells for 100 to 200 dollars. The more valuable falcons are usually sold to Arab buyers for much higher sums.

*The **Kahyaoğlu Cafe–** near the town hall (Belediye) is where hawkers gather nowadays in Ardeşen.*

Hopa

İlçe merkezi. Rize 90 km. / Pop. 14,000. 90 km E of Rize.

Sarp sınır kapısı açıldığından beri ticaret ve gece hayatı kalkındı. Sayıları onu aşan otellerde aktif bir Nataşa trafiği gözleniyor. Nüfusun yarısı Laz, yarısı Hemşinli. Geçmişte Lazlar Hemşinlileri çarşıya sokmazmış. Yakın yıllara dek sık sık çatışmışlar. Halen kahveler, lokantalar, bazı ticari işletmeler ayrı. Geceleri alkolün de etkisiyle bazen vukuat olduğu anlatılıyor.

Hopa has grown with leaps and bounds since the opening of the Georgian border in 1989. Nightlife has benefited most of all. Where miserable old Papila was the only option ten years ago, more than ten hotels now bask in neon-lit glory.

The population is half Laz and half Hemşinese. The latter is a community of Armenian-speaking mountaineers who recall a time when they lived only in upland villages and rarely visited the market for fear of Laz rowdies. Even now, many shops and cafes remain segregated along community lines.

Kemalpaşa (Makriyali) plajı / Beach near Hopa

 Terzioğlu Hotel (3*). Rize ile Erzurum arasındaki en düzgün otel. Tek sorun, gece geç saatlere dek süren yüksek volümlü eğlence. Tel: (0466) 351 5111.

Terzioğlu Hotel *(3*) is the best between Rize and Erzurum. Only problem is loud entertainment into the late hours. Tel: (0466) 351 5111.*

Cankurtaran Geçidi / *Pass*

Hopa 18 km. Rakım 1830 m. / Between Hopa and Borçka; 18 km S of Hopa. Alt. 1830 m.

Artvin'i sahile bağlayan tarihi yol, Çoruh vadisini izleyerek Borçka-Maradit üzerinden Batum'a çıkarmış. 1921'den sonra o yol kesilince uzun süre yenisi yapılmamış. Cankurtaran geçidi 1960'larda açılmış, 80'lerde asfaltlanmış.

Geçidin her iki yakasındaki köyler "Hemşinli" adı verilen halkla meskun. Müslüman olmakla birlikte kendi aralarında bir çeşit Ermenice konuşuyorlar. Gençler konuştukları dilin Ermenice olduğunun bilincinde değil; hatta aksi yönde bazen oldukça katı görüşlere sahipler. Geleneksel meslek ağır vasıta şoförlüğü. Siyasi eğilim sol. Hopa, Borçka ve Arhavi ilçelerinde toplam 22 dolayında köy.

Hopa Hemşini ile Rize Hemşini (Çamlıhemşin) arasındaki tarihsel bağıntı hakkında inandırıcı bir bilgi bulamadık.

The historic road that connected Artvin to the coast follows the Çoruh valley to Batumi. When the Russian border cut that road in 1921, there was nothing to replace it for a long time. The Cankurtaran Pass was opened to car traffic in the 1960s; it remained unpaved until the 80s.

A total of 22 villages on either side of the pass are inhabited by the Hemşinese (Hemşinli). These mountain people speak a dialect of Armenian, although they consider themselves quite Turkish, and seem genuinely surprised that anyone else in the greater world could understand their homey idiom.

There is no reliable information about the connection, if any, between this Hemşin and the more famous Hemşin further west (Çamlıhemşin, see below). It seems reasonable to suppose that there was an emigration from Hemşin proper, and that the emigrants retained the Armenian language while those back at home lost it sometime within the past 200 years.

Hemşince Öğrenelim
Learning Hemşinese

Hopa Hemşincesinin İstanbul Ermenicesinden başlıca farkı fiil çekimindeki bazı özellikler. Karadenizlinin joker sözcüğü "da", soru edatı olarak kullanılıyor.

The Hemşinese of Hopa is similar to the western dialect of Armenian except in the unusual conjugation of verbs.

İnç bes es, bedk es da?	Nasılsın, iyi misin?	*How are you, are you well?*
Hatz gudes da?	Ekmek yer misin?	*Will you eat bread (food)?*
Onunıt inçn e?	Adın nedir?	*What is your name?*
Um dğan es?	Kimin oğlusun?	*Whose son are you?*
Mart, gnik	Erkek, kadın.	*Man, woman.*
Arekagı elav.	Güneş çıktı.	*The sun has risen.*

Sarp

Hopa 19 km. / 19 km E of Hopa.

Birkaç yüz nüfuslu küçük Laz köyü. 1921'de ortasından geçirilen sınırla ikiye bölünmüş. 1930'lardan 1988'e dek hemen hemen hiç geçişe izin verilmemiş. Karşı yakadaki akrabaların Türk tarafından gelen ezan sesiyle namaz kıldıkları anlatılıyor. Şimdi trafik vızır vızır.

Köye 4-5 km kala yol kenarında 30 m yükseklikte şelale var. Girilebilir.

This small Laz village (pop. 600) shared the fate of divided Berlin between 1921, when it was cut in two by the Soviet-Turkish border, and 1989, when the frontier was first opened for routine contacts. Before 1989 one had to work through Ankara and Moscow to get news of Uncle Temel living around the hill; the tone and volume of the prayers on the Turkish minaret became the subject of diplomatic scuffles. Now massive traffic jams are routine, and hundreds of sharp dealers have set up shop in Sarp to aid 700,000 visitors a year from the ex-republics.

3. Hemşin

Fırtına çayı ile kollarının oluşturduğu havzanın adı **Hemşin**. Sırtı, Karadeniz Dağlarının en yüksek silsilesi: **Kaçkar** (3972 m), **Tatos** (3560 m) ve **Verçenik** (3711 m) kütleleri. Doğal yapısı, bitki örtüsü, mimarisi ve insan dokusuyla, Türkiye'nin en ilginç bölgelerinden biri. Çoğu gezgin için Karadeniz'in en unutulmaz bölümü.

Nerede kalınır: Hemşin'de turistik belgeli konaklama tesisi yok. En büyük yatak kapasitesi olan **Ayder**'de bir düzine kadar şirin ahşap otel/pansiyon bulunuyor. **Çamlıhemşin** merkez, **Şenyuva, Çat, Pokut** ve **Amlakit**'te basit ama yeterli geceleme olanakları var. Dağın arka yüzünde kalınabilecek yerler **Barhal** (Altıparmak), **Hevek** (Yaylalar) ve **Meretet** (Olgunlar).

3. Hemşin

Rising to 3972 metres, **Kaçkar** forms the highest peak of the Black Sea Mountains. The isolated valleys on its northern foothills form the region of Hemşin – a district of spectacular wilderness, deeply forested and under a semi-permanent cover of raincloud. For many travellers, it is the most memorable part of a Black Sea journey.

Some hiking is required to take in the full magic of the region. Roads (except for the newly paved Çamlıhemşin-Ayder drive) are poor. The climate is unpredictable, and so are local attitudes to time. The best advice is to reserve two full days at least, and to be prepared for unplanned extensions.

Accommodation overview: The district has no standard-class hotels. Most people stay in **Ayder**, which offers a dozen wooden pansiyons of considerable charm. Simple but acceptable lodgings exist in **Çamlıhemşin-town**, Şenyuva and **Çat**, as well as the yaylas of **Pokut** and **Amlakit**.

Hemşin...

Doğal yapı

Hemşin Türkiye'nin en çok yağış alan bölgesi. Yıllık ortalama metrekareye 2300 kilogram düşüyor. Yılda 250 gün yağış normal. Sabah erken saatlerde gökyüzünün açık olması ihtimali var. Öğleden sonra yamaçlar yukarıdan aşağıya doğru bulutlanıyor. 500-600 metrenin üstü hemen her gün öğleden sonra sisli ve yağışlı.

Yaz-kış meskun olan Hemşin köyleri 200 rakımdan başlayıp 1200 metreye kadar uzanıyor. Yayla yerleşimleri 1500 ile 2500 m arasında. Karadeniz bölgesinin galiba en yüksek yerleşimi olan Haçevanak yaylası 2800 metrede. Ağaç sınırı 1800 metre. 3000 metrenin üzeri yaz kış karlı.

İnsan Dokusu

Hemşinliler Laz değil. Ayrı bir etnik kimliği korumuşlar. Kıyı şeridinin Lazlarıyla yakın zamanlara dek pek geçinememişler, dönem dönem savaşmışlar. Ancak son yıllarda Çamlıhemşin, Ayder gibi

Nature

With an average of 250 rainy days a year and nearly 100 inches of precipitation, Hemşin is the wettest place in Turkey. The rain feeds natural flora of astonishing wealth and diversity: a quasi-tropical luxuriance that surpasses any other part of the Black Sea coast.

*The Kaçkar massif is trailed to the west by the **Tatos** (3560 m) and **Verçenik** (3711 m) Mountains, forming a nearly impassable barrier on the south. Unlike much of the rest of the Black Sea coast, the seaboard, too, is too steep and forested to allow easy penetration. As a result, the region is completely isolated, and has remained so through the ages. The Byzantine and Ottoman states made only token efforts to assert their authority over Hemşin; the coastal Laz clans never pushed much farther inland than 10 miles.*

People

Out of such isolation has emerged a unique breed of highland people,

nisbeten kozmopolit merkezlerde tek tük Lazların yerleşip iş kurdukları görülüyor.

Ardeşen-Çamlıhemşin yolunun 20.ci kilometresine doğru Laz köyleri bitip Hemşin köyleri başlıyor. Farklılığın göze çarpan ifadesi kadın giysileri. Lazlarda geleneksel giysi kaybolmuş. Basma entari - beyaz başörtü standardı yerleşmiş. Hemşinli kadınlar turuncu-sarı-siyah poşi bağlıyorlar; yün çorap üzerine siyah etek giyiyorlar.

1806 tarihli bir kaynağa göre,

> "Hamşen'in Ermeni halkı ağır vergiden dolayı 17. asrın sonlarında ve 18. asrın ilk senelerinde civar köylerin halkı ile beraber Müslüman olmuşlarsa da bazı köylerde Hıristiyan olarak kalmış ve kiliseleri de mevcut bir kısım halk vardır... Bölgenin idaresi, biri mühtedi biri Ermeni olmak üzere iki ağanın elindedir."

Aynı yazar Hemşin'de adını saydığı 18 köyden Eliovit (şimdi Elevit) ve Khevak'ı (şimdi Yusufeli'ne bağlı Hevek/

the **Hemşinlis**. Their origins are a matter of debate – usually conducted in sotto voce, as modern Turkish opinion would rather leave such matters undiscussed. Most sources agree that the inhabitants of Hemşin spoke Armenian until about 200 years ago, and were Christians, of a sort, until some point in the 17th century. They may have been Armenians who travelled over the mountains at some early date; just as possibly they were a native people (perhaps the Heptacometes of ancient authors) who were mixed with and accultured by their southern neighbours. There is no sign that a church ever existed in the district; there seems to have been no mosque, either, prior to the mid-20th century.

Present-day Hemşinlis, at any rate, speak Turkish and profess (lukewarm) Islam. They set themselves apart from the despised Laz – in their traditional dress (poşi as opposed to white scarf), musical instrument (tulum, a sort of bagpipe, as opposed to kemençe), political preference

Hemşin...

Yaylalar?) Müslüman ve Ermeni karışık köyler olarak belirtiyor.

1819 tarihli bir seyahatnameye göre:

> "Hamşenlilerden Müslüman olanlar Hıristiyanlık adetlerini muhafaza etmiş olup, bilhassa **Vartavar** yortusu günü hepsi de kiliseye gider, mum yakarlar ve cedlerinin ruhu için kurban keserler. Halk cümleten ermenice konuşur."

Günümüzde Hemşinliler — en az dört beş kuşaktan beri — Türkçe konuşuyorlar. Geçmişte farklı bir dilin konuşulduğuna ilişkin anılar silinmiş. Ancak yerel ağızda çok sayıda Ermenice kelimeye rastlanıyor. (Halen Ermenice konuşan Hopa Hemşinlileri için bak. sf.136) İlçe halkı İslamiyetin katı biçimlerine rağbet etmiyor. Refah/Fazilet Partisinin oy oranı Rize ortalamasının çok altında.

İlginç bir olgu: Yayla kuşağındaki yer adlarının hemen hepsi (Kaçkar, Apevanak, Cermakçur, Sevcov, Palovit, Mezovit, Havisor... gibi) Ermenice. Buna karşılık 1200 metrenin altındaki sürekli yerleşim kuşağında bulunan yer adları (Şinçiva, Timisvat, Makrevis...) ne Ermenice, ne Lazcaya benzeyen tanımadığımız bir dilde. Bu olgunun tatmin edici bir açıklamasına rastlamadık.

Vartavar geleneği sürüyor. Her yaylada farklı bir tarihte, genellikle Haziran-Temmuz aylarında Vartavar şenliği kutlanıyor. Su oyunları yapılıyor. Bazı yaylalarda boğalar güreştiriliyor. Epeyce alkol tüketiliyor. Son yıllarda Belediye ve Turizm Bakanlığı'nın gayretleriyle Vartavarı memur

(leftish as opposed to centre-right).

They are individualists, eccentrics, people accustomed to live under endless rain and fog in solitary far-away valleys. Many have travelled to the ends of the earth, but have returned, unable to resist the lure of their ancestral forest. Stories of fortunes made and gambled away, of wives abandoned, of unlikely travels and unsuspected accomplishments abound. One often hears the boast that Hemşin has the highest per capita consumption of rakı in the country. They also gamble, compulsively, at the rickety log cafes perched above some wild cascade or tucked in an unlikely recess of the forest.

Only about 5,000 people, scattered over a wide area, inhabit the valleys in winter. A much larger number of Hemşinlis live in the diaspora. They began emigrating in earnest at the end of the 19th century, when many people went to Russia to work as pastry cooks. Now they own just about every pastryshop worth its salt in Istanbul, Ankara and elsewhere in Turkey, as well as some of the top restaurants in the land.

Wandering to the Yayla

Whatever their place of residence, many Hemşinlis come back each summer for a few days or months in the yayla. Starting in June entire families, from aged grandparents to screaming infants, make the 2-3 day trek to their respective summer pastures. Some come with trucks carrying family and goods; others show up in late model Mercedes which keep getting stuck in the mud. Most walk. Women put on

zihniyetine uygun bir "müzik ve folklor festivaline" dönüştürme çabaları hız kazandı.

Hemşin'in geleneksel müzik aleti koyun derisinden yapma **tulum** (gayda). Tüyler ürpertici bir yanık sesi var. Kemençe Lazlara özgü: o da bazen kullanılıyor.

Hemşin tarihi hakkında elle tutulur bir bilgi yok. Bellibaşlı kaleler — **Zilkale**, **Varoşkale** — muhtemelen Bizans dönemine ait. Her yerde karşımıza çıkan kambur taş köprüler büsbütün muamma. Şenyuva köprüsüne birkaç yıl önce takılan "1696" tabelasının hangi ciddi kaynağa dayandığını tesbit edemedik.

19. yüzyıl sonlarında çok sayıda Hemşinli, tüccar ve sanatkar olarak Rusya'ya gitmişler. Halen Moskova'da ve diğer Rus kentlerinde pastane işi yapan Hemşinlilere rastlanıyor. İstanbul ve Ankara'nın tanınmış pastanelerinin birçoğu Hemşinlilere ait. Hakkari Şemdinlinin tek pastanesinin sahipleri de Hemşinli. Atatürk döneminin dışişleri bakanı **Tevfik Rüştü Aras** ile eski CHP genel

the traditional garb of bright orange or red silk scarves, black woollen skirts and multicoloured mountain socks. They carry infants on their backs and struggle to keep the cattle in line, while the men stumble behind, always ready for another rakı break. Cafes are located at convenient intervals along the way. They offer old acquaintances not seen in a year, decks of cards, and a few beds upstairs to accommodate the stragglers.

The **yayla** *– a cluster of ancient stone houses, usually above the timberline, sometimes at the edge of permanent snow – comes to life in a confusion of knee-deep mud, fiery bulls fighting to establish this year's bovine hierarchy, the pungent smells of burning pinewood and tezek (dried cowdung), and men running drunk on the sheer exhilaration of highland air. The festival season starts almost immediately, each* yayla *holding its own* vartavar *on a different weekend, with that of Ayder as the crowning event of the year.*

Hemşin...

başkanı ve Ankara eski belediye başkanı **Murat Karayalçın** Hemşinli.

Hemşin nüfusunun ezici çoğunluğu halen büyük şehirlerde yaşıyor. Ancak yazın kısa bir süre için de olsa atalarının yaylalarını ziyaret etmekten vazgeçmiyorlar. Tipik bir Hemşin görüntüsü: yazın yayla yollarında sığırlar ve poşili kadınlar eşliğinde çamura bata çıka ilerleyen Mercedes.

Yürüyüş Turları

Hemşin dağ yürüyüşleri son yıllarda şehirli doğasever kesimde popüler oldu. Organize grup ya da yerel rehberle, katırlı ya da katırsız, çadırlı ya da pansiyon konaklamalı yürünebiliyor.

Verçenik'ten Altıparmak dağına dek kuş uçuşu 70-80 kilometrelik alanda sayısız yürüyüş güzergahı oluşturmak mümkün. Aşağıda üç alternatif sunduk. Gün

Hiking in Hemşin

Trekking in the Kaçkar is suddenly the rage among the nature-conscious classes of Turkey. Scores of "alternative" tour operators now offer expeditions where only a handful of adventurous souls did ever venture ten years ago.

An infinite variety of hiking routes can be plotted along a mountainous "backbone" of nearly 80 km as the crow flies. Many can be tackled without a guide, or with only ad hoc local help. We suggest three representative itineraries here. The timing is fairly arbitrary, as the weather can wreak havoc with beast-laid plans, and the pace is often determined by the slowest member of the group.

A. Transkaçkar Passage (Ayder to Barhal) 4 days.

The most popular Kaçkar trek involves crossing the mountain from Hemşin to Barhal, in Artvin province, or vice versa. The hike

tahminlerine pek güvenmemek lazım. Tempoyu çoğu zaman grubun en yavaş üyesi belirliyor. Bazen günlerce oyalanıp havanın açılmasını beklemek gerekebiliyor. Tedarikli gelmekte yarar var. İyi bir-iki kitap şart.

A. Transkaçkar (Ayder-Barhal) geçişi. 2 ila 4 gün.

Karadeniz tarafında arabayla ulaşılan son nokta **Yukarı Kavron** yaylası: Ayder'in 16 km ilerisinde. Artvin tarafında yol sonu, Barhal'dan 16 km yukarıda Meretet (Olgunlar) mahallesi. Kavron-Meretet dağ yolu yaya 12 ila 15 saat çekiyor. Otomobille Hopa-Artvin-Yusufeli üzerinden ulaşım 300 km.

Tipik operasyon, yürüyerek karşıya geçip bir şekilde dönüş için araba ayarlamak. Çamlıhemşin-Kavron ve Yusufeli-Meretet arası dolmuş işliyor. Ancak dolmuşa göre plan yapanların zamanlama konusunda geniş görüşlü olmasında fayda var.

Örnek güzergah:

  1. gün: Artvin'den arabayla Barhal veya Meretet. Pansiyonda konaklama.

  2. gün: Dilberdüzü veya Deniz Gölüne tırmanış ve kamp.

  3. gün: Pişovit üzerinden Dübedüzünde kamp.

  4. gün: Cermakçur'da kamp veya Kavron'a iniş. Ayder'de geceleme.

İstenirse bir tam gün ekleyip Dilberdüzü'nden Kaçkar zirvesine tırmanmak da mümkün. Ağustosta bazen Dilberdüzü kampında geceleyen 100'ü aşkın yürüyüşçüyle karşılaşmaya hazır olmak gerek.

*from **Upper Kavron**, the farthest point by car on the north side, to **Meretet (Olgunlar) Mahallesi**, the end of the road on the south side, takes about 12 to 15 hours straight. It can be done in two days, or can be extended into four days or more with wanderings in the nearby yaylas or a climb to the Kaçkar summit.*

You will typically return by car or public transport via Yusufeli-Artvin-Hopa and Ardeşen, or vice versa – a 300-km drive. Minibuses serve both Upper Kavron and Meretet (from Çamlıhemşin and Yusufeli, respectively) but you must be entirely free of time constraints when travelling by public transport.

The north face is both steeper and visually more dramatic, so we like walking south to north.

  1. By car from Artvin to either Barhal or Meretet, overnight in pansiyon.

  2. Hike to Dilberdüzü Plateau or Deniz Lake; camp.

  3. Hike to Dübedüzü Plateau via Pişovit; camp.

  4. Hike down to Upper Kavron via Cermakçur; overnight in Kavron or Ayder.

It is possible to climb the summit from the Dilberdüzü camp and return the same day. In August you should be prepared to find more than 100 campers in Dilberdüzü.

B. Around the Kaçkar, 3 days.

This is a superbly panoramic tour making a complete circuit of the summit. It is less popular than the previous route because pack animals cannot tackle the western crossing of the mountain and so you have to carry your own baggage.

Hemşin...

B. Kaçkar turu. Üç ila dört gün.

Kaçkar dağının etrafını dolaşan manzaralı bir rota. Atla girmeye uygun değil. Bundan ötürü önceki güzergaha oranla çok tenha.

1. gün: Arabayla Yukarı Kavron. Yedigöller'de (Çengovit) kamp.

2. gün: Cermakçur boğazından Kaçkar buzulu. Dübedüzünde kamp veya Meretet'te pansiyonda konaklama. Cebri yürüyüşle Deniz Gölüne, hatta Davalı Yaylaya ulaşmak mümkün.

3. gün: Kavron Boğazı üzerinden Yukarı Kavron ve Ayder.

Bu turda da üçüncü gün Kaçkar zirve tırmanışına ayrılabilir.

C. Orman ve Yaylalar. Üç gün.

Çok yükseklere tırmanmaksızın, olağanüstü güzellikte orman yollarını izleyen bir rota. Rehbersiz yapılabilir.

1. To Upper Kavron by car. Camp in Yedigöller ("Seven Lakes") or Çengnovit.

2. To the Kaçkar glacier via Cermakçur. Camp in Dübedüzü or push forward to Davalı Yayla.

3. Back to the north face via the Kavron Gap; overnight in Upper Kavron or Ayder.

A day can be added after Dübedüzü to climb the Kaçkar summit.

C. Forest and Highlands. 3 days.

A wonderful route that keeps close to the tree line without climbing too high, and can be done without a guide. It takes you to Pokut, Amlakit and Samistal, three of the most attractive yayla settlements of the Hemşin region. There is no car access to any one of these places as of this writing, but a new road seems to be – sadly – in the works.

1. gün: Şinçiva (Şenyuva) köyünden Sal. Pokut. Pansiyonda geceleme.

2. gün: Hazındag yaylası. Amlakit. Pansiyonda geceleme.

3. gün: Samistal. Yukarı Kavron. Minibüsle Ayder.

Pokut, Amlakit ve Samistal mimari açıdan Hemşin'in en güzel yayla yerleşimleri. Üçüne de halen motorlu araç ulaşımı yok. Yakında yol yapılacağı söyleniyor. Vatanımızın en ücra köşelerine medeniyetin ulaşması sevindirici.

Yaylalarda konaklama

Halen iki yaylada örgütlü konaklama imkanı var. Pokut'ta **Demirci Pansiyon**. Ekrem Demirci. Tel: (0464) 651 7495. Amlakit'te **Amlakit Pansiyon**. Mehmet Demirci. Ayder'deki Fora Pansiyon'un şubesi. İrtibat Tel: (0464) 651 7230. Diğer yaylalarda zorunlu halinde boş bir ev bulup girmek adetten. Teşekkür yerine şeker, tuz, kibrit vb. bırakılıyor.

*1. Start in **Şenyuva (Şinçiva)** village, 6 km from Çamlıhemşin-town. Hike to **Sal** and **Pokut**. Overnight in pansiyon.*

*2. Hike to **Hazındag** and **Amlakit**. Overnight in pansiyon.*

*3. Hike to **Samistal** and **Upper Kavron**. Minibus to Ayder.*

Lodging in the Yayla

Organised accommodations exist in only two yaylas.

*Pokut: **Demirci Pansiyon**. Ekrem Demirci. Tel: (0464) 651 7495.*

*Amlakit: **Amlakit Pansiyon**. Mehmet Demirci. Contact tel: (0464) 651 7230.*

Elsewhere in the yayla it is customary to enter any unoccupied house in case of need. In lieu of payment one leaves some provisions like sugar, salt or matches.

Hemşin...

Organize Turlar

İstanbul ve Ankara'dan Kaçkar yürüyüşleri düzenleyen başlıca acentalar şunlar:

Abelya Tel: (0212) 292 3986. E-mail: abelya@hotmail.com

Arnika Tel: (0212) 245 1593, (0312) 435 8353. www.arnika.com.tr

Gezievi Tel: (0212) 293 1193. www.gezievi.com

Karıncalar Tel: (0216) 449 3290. www.karincalar.com

No Limits Tel: (0216) 414 2590. www.nolimits.com.tr

Ogzala Tel: (0212) 293 9195. www.ogzala.com

Tempo Tel: (0312) 428 2096. www.tempotour.com.tr

Kendi organizasyonunu yapmak isteyenler için yerel dağ ve yürüyüş rehberlerinden birkaçı:

Adnan Pirikoğlu. Pirikoğlu Hotel, Ayder. Tel: (0464) 657 2021.

Muhammet ?. İstanbul Hotel, Ayder. Tel: (0464) 657 2108.

Mehmet Demirci. Türkü Turizm, Çamlıhemşin. Tel: (0464) 651 7230.

Fatih ve Özkan Şahin. Yusufeli. Tel: (0466) 811 2393.

İsmail Altınay. Hevek (Yaylalar). Tel: (0466) 832 2001.

İbrahim Bayram, Osman Alkan. Meretet (Olgunlar) Tel: (0466) 832 2044.

Organised tours

Some Istanbul and Ankara agencies that organise hiking tours of the Kaçkar are listed on the left. We add the names of some local guides below for those who would do their own organisation on the spot.

Adnan Pirikoğlu. *Pirikoğlu Hotel, Ayder. Tel: (0464) 657 2021.*

Muhammet ? *Istanbul Hotel, Ayder. Tel: (0464) 657 2108.*

Mehmet Demirci. *Türkü Turizm, Çamlıhemşin. Tel: (0464) 651 7230.*

Fatih and Özkan Şahin. *Yusufeli. Tel: (0466) 811 2393.*

İsmail Altınay. *Hevek (Yaylalar). Tel: (0466) 832 2001.*

İbrahim Bayram, Osman Alkan. *Meretet (Olgunlar) Tel: (0466) 832 2044.*

Çamlıhemşin

Nüfus 2,000. Ardeşen 26 km. / Pop: 2,000. 26 km S of Ardeşen.

Tek sokaktan ibaret. Atmosferi kendine özgü, neredeyse Vahşi Batı: yaylaya çıkanlar, yayladan gelenler, erzak düzen dağcılar, yorgun kumarbazlar, altın ışıltılı poşilerini bağlayan kadınlar, kartal bakışlı Lazlar. Burada oturan pek kimse yok. Daha çok bir geçiş noktası. Çarşı.

Konaklar

Çarşının 2 km yukarısı **Makrevis** mahallesi. Yeni adı Konaklar. Karadeniz bölgesinin en muhteşem konaklarından 10-15 kadarı burada. Hemen hepsi Birinci Dünya Harbi öncesi Rusya'da kazanılan paralarla inşa edilmişler. Rus antikaları, Petersburg işi çini sobalar, ithal camlarla donatılmışlar. Bazılarında yakın zamana dek piyano olduğu

The administrative centre of the district consists of a single street built in a narrow gulch along the thunderous Fırtına river. It is more a marketplace than a town, with a number of shops selling provisions for the mountaineers and yayla-dwellers, and a larger number of cafes providing respite from the rain and solitude of the mountains. Here, arriving from the outside, women customarily stop to change into their golden poşi and mountain socks.

Konaklar

*The suburb of **Makrevis**, recently renamed Konaklar ("Mansions"), is located 2 km further up on the main (west) branch of the Fırtına. More than a dozen of the most impressive traditional houses of the Black Sea region are found here,*

Tarakçıoğlu evi / A house in Konaklar

anlatılıyor. En görkemlisi **Tarakçıoğlu** evi. **Andon** evi Ankara'daki Washington restoranının sahiplerine ait.

Bazı konaklar taş. Diğerleri masif kestane. Ya da **kadama** usulü yapılmış: ahşap ızgara çatkı içine kesme taş dolgu.

Çamlıhemşin'i mahvedecek olan **Fırtına Barajı** tam buraya yapılıyor. Korkunç bir doğa katliamı başlamış.

scattered across the dizzyingly steep terrain. They date from the late 19th and early 20th centuries, and reflect fortunes made in Russia. Some of them retain details of tsarist opulence like antique samovars, imperial tableware, or even the occasional piano. Owners are mostly absent, but a visitor will often find a relative or caretaker who will be glad to unlock creaky doors.

*Along the way are several graceful specimens of the region's characteristic **hunchback bridges**. More than 30 of these survive throughout Hemşin. When they were built is a matter of conjecture, although one bridge has been signposted (rather dubiously) to 1696.*

Çarşı içinde **Hoşdere Restaurant**. Tel: (0464) 651 7107. **Osmanlı Restaurant** 10 km aşağıda. Muhlaması, balık çorbası güzel. Fotojenik kambur köprüsü de var: Timisvat köprüsü. Tel: (0464) 752 4223.

Hotel Doğa. Zilkale yolu 4. km. Gümbürdeyen dere üzerinde. Çevre müthiş, bina beton. Tel: (0464) 651 7455.

Hoşdere Restaurant *in town. Tel: (0464) 651 7107.* **Osmanlı Restaurant**, *beside a picturesque hunchback bridge 10 km below Çamlıhemşin, serves excellent muhlama (the local cheese fondue) and fish soup. Tel: (0464) 752 4223.*

Hotel Doğa. *4 km up on the way to Zilkale, offers spartan rooms set in wild forest beside a roaring stream. Tel: (0464) 651 7455.*

Ayder

Çamlıhemşin 17 km asfalt. / 17 km SE of Çamlıhemşin; paved road.

Hemşin'in turistik merkezi. Kaplıcası nedeniyle öteden beri popüler bir tatil yeri idi. Son yıllarda dağcılar ve yürüyüş grupları eklendi. Bir ara hızlı bir betonlaşmaya uğradı. Sonra korumaya aldılar. Oldukça hoş, özenli ahşap evler ve oteller yapıldı. Akıllı bir belediye başkanı seçildi: Dr. Refah Veziroğlu.

Doğal konumu İsviçre'nin değme yayla köyüne taş çıkartır. 1000 metre yükseklikte. Köy sınırları içinde 20-30 metrelik birkaç şelale akıyor.

Kaplıca haşlayıcı sıcaklıkta. Serin havada uzun bir yürüyüşten sonra müthiş. Gece geç saate kadar açık. Tel: (0464) 657 2102.

Yol 16 km devamla **Yukarı Kavron** yaylasına ulaşıyor. (Aşağı Kavron yok; yıllar önce bir heyelanda kaybolmuş.) Oradan yürüyerek **Kaçkar**'a çıkılıyor.

The touristic hub of Hemşin had already some local fame as a thermal spa before it started attracting the hikers and the climbers. It rivals the best of Swiss villages for the beauty of its setting. The village is located at an average altitude of 1000 metres, in a steep valley where half a dozen waterfalls tumble down from the cliffs on all sides and evergreens grow to unusual height.

The architecture is less Swiss-like, although the rapid deterioration that took place in the 1980s has been successfully checked, and some very creditable timber architecture has emerged under an intelligent village council in the 90s.

*The hot springs are hot indeed. The **Baths** (0464-657 2102), with separate sections for men and women, stay open until late in the evening.*

Yeni yapılan güzel ahşap pansiyonlardan üçü: **Fora Pansiyon**. Aktif, genç, ilerici bir karıkoca. Tel: (0464) 657 2153. **Kuşpuni**. Dr. Veziroğlu'nun yeri. Daha konforlu. Güzel yemek yapıyorlar. Tel: (0464) 657 2052. **Ahşap Pansiyon**. Dağ başında şipşirin ev. Tel: (0464) 657 2162.

Yarım düzine kadar eski usul ahşap otel var. 30-40 yıl önce masif çam ve kestaneden yapılmışlar. Müthiş atmosferli yapılar. **Bahar Pansiyon** en antikası. Tel: (0464) 657 2142. **İstanbul Hotel** dağcıların uğrak yeri. Tel: (0464) 657 2108.

*Three lovely timber lodges built recently in the traditional style: **Fora Pansiyon**, hosted by a young friendly couple. Tel: (0464) 657 2153. **Kuşpuni**, more comfortable, with excellent food. Tel: (0464) 657 2052. **Ahşap Pansiyon** set on top of a steep hill with great view. Tel: (0464) 657 2162.*

*The older timber houses offer a lot of atmosphere, but fewer comforts. **Bahar Pansiyon** is the quaintest. Tel: (0464) 657 2142. **İstanbul Hotel** is a mountaineers' favourite. Tel: (0464) 657 2108.*

Kaçkar Dağı / *Kaçkar Mountain*

Karadeniz'in en yüksek zirvesi: 3972 m. Son yıllarda Toros-Aladağlar ile birlikte Türkiye'de dağcılık sporunun iki odak noktasından biri oldu.

Güney tırmanışı için ekipman ve deneyim gerekmiyor: kondisyon yeterli. Hevek veya Meretet'ten iki günde zirve yapıp dönmek mümkün. Kuzey cephesi çok daha zor. Değişken hava koşulları ve çok sık rastlanan sis, tedbirsiz dağcıları tehlikeye sokabiliyor. Deneyimli bir rehber ve profesyonel ekipman şart.

The highest peak of the Black Sea mountains (3972 m, or 12,300 ft) can be seen on clear days in its full splendour from the coast near Ardeşen. It is one of the highest points on earth that is visible from the sea level. The glacier on its northern slope is the only major one in Turkey that is currently accessible to mountaineers.

The southern route to the summit is easier to climb and requires no specialised equipment. From either **Hevek** (Yaylalar) *or* **Meretet** (Olgunlar), *it is possible to make the climb and return in two days. The northern face is considerably more difficult, not least because of very changeable weather conditions and frequent fog; it should not be attempted without an experienced guide.*

Zilkale

Çamlıhemşin 12 km; yarısı asfalt, devamı bozuk yol.
12 km SW of Çamlıhemşin; poor road after 6 km.

Fırtına çayının ana vadisi, nefes kesici panoramalar sunan, geniş ve muhteşem bir ülke. Hemen her zaman sisli ve ıslak: bazen olağanüstü berrak bir ışıkla aydınlanıyor. Yırtılan bulutların arasından, olmadık bir açıya kondurulmuş, koyu kestane rengi eski konaklar görülüyor.

Vadinin en vahşi kıvrımında Zilkale: Türkiye'nin en esrarlı ve romantik kalesi. Cangıl içinde yapayalnız, birkaç yüz metre yukarıdan Fırtına'nın çağlayanlarına hükmediyor.

Asıl adı Zîr Kale, yani Aşağı Kale. Yukarı kardeşi (**Kale-i Bala** veya Varoşkale) 20 km daha ileride, Hisarcık yaylasında. Muhtemelen Bizans yapıları. Sapa bir yolda, makul çıkışı olmayan bu vadide neden inşa etmişler, neyi korumuşlar, pek belli değil.

Yolu feci. Asfaltın bittiği yerdeki **Şenyuva** (Şinçiva) köyü kahvesinden Zilkale yürüyerek 1 saat 15 dakika çekiyor.

Zilkale is easily the most mysterious and romantic of all Turkish castles – a moss-covered ruin soaring on a wild crag in the forest high above the cascading Fırtına river. On an average day, with clouds blanketing the valley base and wisps of vapour enveloping the fortress, it presents an unforgettable sight.

*History, too, is shrouded in mist. Most likely this was a Byzantine edifice like the **Upper Castle** (Kale-i Bala or Varoşkale), 20 km further up, though it is anyone's guess when it was built and why in the midst of this dead-end valley with no conceivable military or economic worth.*

*An atrocious road leads to Zilkale past waterfalls and log-bridges on the spectacular main (left) branch of the Fırtına valley. The paved road ends in **Şenyuva** (Şinçiva) village; from here, it is an unforgettable 75-minute hike to the fortress.*

Verçenik ve Tatos Dağları
Verçenik and Tatos Mountains

Çamlıhemşin-Çat 27 km, bozuk yol.

27 km to Çat from Çamlıhemşin, very poor road.

Tatos 3540, Verçenik (Dilek Dağı) 3711 metre. Kaçkar kadar görkemli dağlar, ama henüz dağcı-trekçi akınına Kaçkar kadar uğramadılar. Yukarılarda irili ufaklı sayısız moren gölü var. Yürüyüş için muazzam yerler.

Taş yapılı, güzel, eski yayla yerleşimleri var. **Başhemşin** yaylasının taş konakları dikkat çekici. **Haçevanak** yaylası 2800 metrede, galiba Karadeniz bölgesinin en yüksek yerleşimi. Kelime anlamı Küçük Haç Manastırı. Var idiyse, izi kalmamış.

Yol Zilkale'den 15 km ileride **Çat**'a varıyor: üç-beş haneli bir yol konağı. Tatos ve Verçenik'in yolları burada ayrılıyor. Tatos yönünde Elevit'e, Verçenik yönünde Ortayayla-Başhemşin'e kadar günde iki-üç minibüs işliyor.

Çat'tan Verçenik zirvesi gidiş dönüş asgari iki günlük yol. Elevit-Haçevanak-Capug Geçidi-Başyayla yürüyüşü de iki gün. Bir gün vakti olanlar için Gito yaylası-Ambarlı-Balıklıgöl ideal rota.

At 3540 and 3711 metres, respectively, these two mountains are just as spectacular as the Kaçkar but not nearly as popular yet with the trekking and climbing fraternities. Countless small lakes dot the area of both peaks, forming a splendid backdrop to a night camp.

*The road reaches **Çat** ("Junction"), a small settlement of a half dozen houses and two inns, 15 km above Zilkale. Minibuses continue from here left to **Elevit**, at the base of Mt Tatos, and right to **Ortayayla** and **Başhemşin**, considerably farther up on the lower slopes of Mt Verçenik. These are yayla settlements of great antiquity, full of solid stone houses of a very different construction than the wooden houses of Hemşin. An interesting yayla is **Haçevanak**, probably the highest settlement of the Black Sea region, located at 2800 metres in the middle fold of the Tatos group.*

From Çat, a beautiful two-day hike covers Elevit-Haçevanak-Capug Pass-Başyayla and the Upper Castle (Varoşkale). For a one-day trip, the Gito yayla and Balıklıgöl ("Fishy Lake") should suffice.

Çat'ta iki küçük konaklama tesisi var. **Hotel Cancik** karakter sahibi, eski usul bir yer. Odalar ahşap, basit ama tertemiz. Muhlama harika. Günün her saatinde eksantrik insanlar uğruyor. Tel: (0464) 654 4120. **Toşi Pansiyon**. Organize dağ gruplarının tercihi. Tel: (0464) 654 4002.

Hotel Cancik *is an utterly charming, old-fashioned roadside inn & pub & general store in Çat. Their muhlama is the best we have ever had. Tel: (0464) 654 4120.* **Toşi Pansiyon**, *also in Çat, is preferred by organised hiking groups. Tel: (0464) 654 4002.*

4. Artvin

Gerek doğa, gerek tarih ve toplumsal yapı bakımından Karadeniz'in geri kalanından ayrı bir bölge. Doğu Anadolu da değil: ayrı bir dünya. Fiziksel yapı son derece çarpıcı. Uzak köylerinde, Türkiye'nin en muazzam tarihi eserlerinden birkaçı saklı.

Dağlık arazide ulaşım güç ve yavaş. Bölgeyi kabaca tanımak için en az üç gün ayırmak lazım. Bir hafta çok değil.

Nerede kalınır: Hopa, Borçka ve **Artvin** merkezde düzgün oteller var. Zorunluluk halinde **Yusufeli, Ardanuç** ve **Şavşat**'ta kasaba otellerinde kalınabilir. Fazla konfor aramayanlar için Yusufeli'nin **Altıparmak** (Barhal) ve Tekkale köyleri ile Şavşat'a yakın **Karagöl**'de pansiyonlar bulunuyor.

4. Artvin

More than a dozen major churches of the mediaeval Georgian kingdom hide in the remote valleys and villages of the mountainous Artvin province. They stand out by their astounding size and architectural sophistication. Visiting each involves a difficult excursion through spectacularly rugged country. The difficulties of poor roads and modest accommodation are amply rewarded, however, in villages of timber chalets where the infrequent visitor is met with a warm welcome that is remarkable even by Turkish standards.

Three days is the least amount of time required to explore the region even superficially. A week is by no means too much.

Accommodation overview: *Artvin-town* is the obvious base, though decent hotels exist also in *Hopa* and *Borçka*. Tolerable rooms are available in *Yusufeli, Ardanuç* and *Şavşat* towns, in *Altıparmak* (Barhal) village and at *Karagöl Lake*.

Karşı sayfa: Kafkasör'de boğa güreşi /
Bullfight at Kaftasör, opposite."

Artvin...

Coğrafya

Olağanüstü dağlık bölge, derin kanyonlarla yarılmış. Çoruh nehri ile kolları (**Şavşat/Merya, Ardanuç, Oltu** ve **Tortum** çayları) kanyon içinden akıyor. Ana yollar da kanyon yataklarını izliyor. Yol boyunca iki-üç köyden başka yerleşim yok. Kayalık, çıplak ve vahşi bir ülke. Yazın bazen boğucu sıcaklıkta. Güneye doğru çölleşiyor.

Nehir üstünde belli aralıklarla, ip ve keresteden yapma derme çatma köprülere, insan ve yük taşımaya mahsus antika teleferiklere rastlanıyor. Köprünün bir ucunda genellikle ham bir yol, ürküntü veren bir açıyla kanyon duvarına tırmanıp yukarılarda kayboluyor. Gerçek Artvin'i tanımak için, bu yollardan herhangi birine gözünüzü karartıp girmeniz şart.

Geography

Artvin does not belong to the Pontic coast in either landscape or history. Nor is it part of the Eastern Anatolian interior – in effect, it is a separate land, a Caucasian buffer region.

*The **Çoruh Canyon** cuts across the province like a gigantic, rocky crack. The main roads follow the canyon base – a narrow, winding corridor of parched rock, bearing witness to the tremendous violence of some geological cataclysm. There are few settlements along the way. The first image of Artvin is of a hard and inhospitable land.*

"Real" Artvin hides higher up. Take any one of the old rope-and-timber bridges that span the river, and drive up a dusty track which climbs the canyon wall at a crazy angle. A breathtaking change of

Nefes kesici dönüşüm birkaç kilometre içinde gerçekleşiyor. Çıplak kayanın yerini, her yanından sular çağlayan ceviz, dut, elma ve nar bahçeleri, bağlar ve zeytinlikler alıyor. Karadeniz'in aksine köyler derli toplu. Evler ahşap, çepeçevre teraslı. Ahşap minareli camiler (henüz betonlamadıkları) göz alıcı. İnsanlar uygar, konuksever, açık yüzlü. Okuryazar oranı Türkiye ortalamalarının hayli üzerinde.

Daha yukarılara çıktıkça yeşilin tonu Türkiye'nin başka bölgelerinde görülmeyen bir yoğunluk kazanıyor. 800 metrenin üzerinde sürekli rutubetten devleşmiş köknar ve ardıç ormanları başlıyor. 1000 metreye doğru, Bern ve Tirol Alplerini anımsatan yaylalar var. Daha yukarısı, Haziran-Temmuza dek karlı dağlar: kuzeyde **Karçhal** kütlesi (3428 m), batıda **Altıparmak** dağı (3492 m), güneydoğuda Yalnızçam zinciri (3167 m).

Yüksek dağ yollarının bazılarından vilayetin neredeyse tümünü kuşbakışı görmek mümkün. **Ardanuç-Aşağı Irmaklar-Şavşat** yolu bunlardan biri.

Her vadi dış dünyadan kopuk, müstakil, kapalı bir birim: adeta bir ada. Hemen hepsinin kalesi var. Katedral boyutlu Gürcü kiliseleri en umulmadık köylerde karşınıza çıkıyor. Bizim bildiklerimiz on tane kadar. Bilmediklerimiz kim bilir kaç tane.

scenery occurs within a few short kilometres. First come the villages, set in a smiling landscape of mulberry groves, vineyards, apple orchards and olives. Houses are mostly built in Artvin's typical chalet-architecture. Unlike Black Sea villages, they form tight clusters, sometimes around a quaint little wooden village mosque.

*Above the villages, the forest gets increasingly thicker and taller. It eventually gives way to an alpine landscape of giant conifers and rhododendron, separated by pastures that stay intensely green and fresh into August or later. The yayla is crowned by the snow-capped masses of the **Karçhal** (3428 m) in the north, the **Altıparmak** (3492 m) in the west, and the **Yalnızçam** chain (3167 m) in the southeast. Some mountain roads, for example the Ardanuç-Aşağı Irmaklar-Şavşat route, offer a bird's-eye view of nearly the whole province.*

Each side-valley is an isolated, self-contained unit, nearly insular in feeling. Almost every one is protected by a fortress; a cathedral-like mediaeval church could stand in some unlikely corner or village garden. Most travellers to Artvin confess to an addictive joy in valley-hopping. After each out-of-the-way valley that one explores, there is always another that waits to be discovered. We have been doing it, on and off, for sixteen years. There are still a few that we would love to get to know.

Artvin...

Tarih

Bölgenin eski halkı Gürcüler. Gürcü dili halen sadece Borçka'nın **Muratlı** (Maradit) ve **Camili** (Maçahel) taraflarıyla, Şavşat'ın **Meydancık** (İmerhev) vadisinde konuşuluyor.

9. yüzyıl başında Bagratoğulları sülalesinden Gürcü beyleri **Klarceti** (Ardanuç) ve **Tao** (Oltu-Yusufeli) ülkelerine hakim olmuşlar. Bagratların başka bir kolu aynı yüzyıllarda Kars-Ani'de Ermeni hükümdarlığında bulunmuş.

Asıl Gürcistan'ın Arap hakimiyetinde kısmen Müslümanlaşmış olduğu bu devirde Çoruh beylikleri Gürcü kültürünün canlanmasında kilit rol oynamışlar. Sayısız manastır ve anıtsal kiliseler yapılmış. Edebiyat ve sanat gelişmiş. Bizans ve İran etkilerini içeren bir kültürel sentez oluşmuş.

History

*Georgian warlords once dominated these valleys, and fought wars of local mastery with each other, while paying questionable allegiance to the Georgian king, the Arab caliph, the Byzantine emperor or the Ottoman sultan. Their descendants still speak the Georgian language in the district of Borçka and the **Meydancık** (İmerhev) valley of Şavşat. Others, having adopted Turkish as an adjunct to their Islamic identity, retain traces of their ancestral culture.*

*The **Bagratids**, a feudal dynasty of Armenian origin, became lords of the Çoruh valleys in the 9th century. The founder of their line was **Ashod I** the Curopalate, who exploited Arab-Byzantine rivalries to acquire the impregnable castle of **Ardanuç** in 813. A different branch of the family rose to the*

Çoruh Bagratları
The Bagratids of Artvin

Rivayete göre Bagratoğullarının kökeni İbrani krallarına dayanıyor. Bagrat adıyla tanınan **Smbat** MÖ 2. yüzyılda Ermeni ülkesine gelip Kral Vağarşak'ın hizmetine girmiş. Soyundan gelenlere, Ermeni kralları tahta geçtiklerinde başlarına taç giydirme imtiyazı ve onbin atlıya kumanda etme yetkisi verilmiş.

Arap egemenliği döneminde Bagratların yıldızı parlamış. 745 yılında halife Mervan, **Aşod Bagratuni**'yi Ermenistan valisi atamış. Bunun soyundan gelen bir başka **Aşod** 885'te Ani kentinde Ermeni kralı (şah-ı ermen) ilan edilmiş. Ailenin çeşitli kolları Çoruh'ta, Abhazistan'da, Siunik'te ve Van'ın Başkale bölgesinde beylikler edinmişler.

Çoruh Bagratları 1008'de Gürcistan kralı unvanını kazandıktan sonra, 800 yıl Tiflis ve Kutais'te hüküm sürmüşler. 1801'e Ruslar Gürcü krallığını tasfiye ettikten sonra da Petersburg aristokrasisinin seçkin üyeleri olarak çarın hizmetinde bulunmuşlar. Napoleon'a karşı Rus ordularına kumanda eden Prens Bagration onlardan. Son fertleri halen Paris'te yaşıyor.

Smbat, the forefather of the Bagratians, came from Judaea to enter the service of the Armenian king in the 2nd century BC. His descendants were made the hereditary cupbearers of the Armenian kings and held the privilege of placing the crown on the royal head at every coronation.

A Bagratian was made governor-general of Armenia under the Arab caliph in 745. His children spread the family estates from the shores of Abkhazia to the fastnesses of the Iranian mountains. A grandchild became king of Armenia; another descendant took the Georgian crown.

*The Georgian Bagratids ruled in Tbilisi for 800 years as the world's longest-reigning sovereign dynasty. After the annexation of Georgia to Russia in 1801, they joined the tsar's service as illustrious members of the St Petersburg aristocracy. **Prince Bagration**, who led the Russian armies against Napoleon, was one of their numbers. He makes his appearance in Tolstoy's* War and Peace.

The current heirs of the dynasty live in Paris. Two rival monarchist parties were briefly active in Georgia after that country seceded from the Soviet Union in 1990.

I Aşod	813-826
I Bagrat	826-876
I David	876-881
I Adarnase	881-923
II Aşod	908-918
Smbat	923-958
II Adarnase	958-961
II Bagrat	961-994
David Magistros	961-1000
Gurgen	1000-1008
III Bagrat	1000/1008-1014

Artvin...

961-1000 yılları arasında hüküm süren II. David, Bizans'ın iç karışıklıklarından yararlanarak Erzincan'dan Malazgirt'e uzanan bir alanda egemenlik kurmuş. Onun oğlu III. Bagrat "Kutais'te Gürcistan kraliyet tacını giymiş. Bu tarihten sonra Gürcü kültürünün ana damarı Çoruh bölgesinden doğuya kaymış. 12 ve 13. yüzyıllarda Tiflis'te altın çağına ulaşmış."

Çoruh ülkesi giderek marjinalleşmiş. Türk ve Moğol istilalarına uğramış. 15. yüzyılda bölgenin egemenliği **Cakeli** (diğer adıyla Qwarqware veya Osmanlı kaynaklarında kullanılan şekliyle Gorgor) sülalesinden **Ahıska** (Akhaltzikhe) beylerine geçmiş. Önceleri Tiflis'e bağlıyken daha sonra bağımsızlıklarını ilan etmişler. Az çok Hıristiyan olmakla birlikte Türkçe "**atabey**" unvanını almışlar.

Tortum, Ardanuç ve Artvin kaleleri 1536 ve 1548'de Osmanlılarca zaptedilmiş. Ahıska atabeyleri nihayet 1579'da Osmanlı'ya boyun eğmişler, fakat Müslümanlığı kabul ederek unvan ve makamlarını korumayı başarmışlar. **Posof**, **Şavşat** ve **İmerhev** (Meydancık) atabeyleri ile Acara aşiret reisleri de bu dönemde Müslüman olmuşlar. Atabeylik düzeni ancak 1878-1917'deki Rus yönetimi zamanında tasfiye edilebilmiş. Bugün dahi, DYP üst yönetiminde bulunan bir Artvin milletvekilinin İmerhev atabeyleri soyundan olduğu söyleniyor.

Rus işgali yıllarında **Batum** kozmopolit bir kent olarak hızla gelişmiş. Baku petrollerinin Karadeniz limanı ve Kafkas demiryolunun batı terminali olmuş. Daha önce önemsiz bir yer

Armenian kingship in Kars and Ani around the same time.

The Bagratids of Çoruh played a key role in re-inventing mediaeval Georgian culture at a time when Georgia proper rotted under Arab rule. Literature and architecture flourished. A cultural synthesis emerged, drawing on Byzantine and Iranian influences.

Members of the dynasty acquired parts and pieces of Georgia over the following two centuries, until ***Bagrat III*** *finally consolidated family holdings in a revived Kingdom of Georgia in 1008. After this date, the main course of Georgian history shifted eastward. It reached its golden age in Tbilisi under King David IV (1089-1125) and Queen Thamar (1184-1213).*

The Çoruh valleys became marginalised. In the 16th century they came under the sway of the feudal ***Jakeli*** *dynasty, who were Georgian but carried the Turkish title of* atabeg, *and ruled from* ***Akhaltzikhe***, *a city now over the border in Georgia.*

The Ottomans captured the key fortresses of Ardanuç and Tortum in 1536 and 1548. The atabegs of Akhaltzikhe finally bowed to Ottoman power in 1579, but managed to retain some of their prerogatives through a timely conversion to Islam. The atabegs of ***Shavsheti*** *(Şavşat) and* ***Imerhevi*** *(Meydancık) embraced the conquerors' religion around the same time. The rule of the atabegs remained in force until the Russian occupation of 1878-1917. Even today, a high-level politician representing Artvin in Turkish parliament claims descent from the*

yer olan **Artvin** (Livane) kasabası bu yıllarda Batum'un sayfiyesi niteliğini kazanmış. Rus, Türk, Gürcü ve Ermenilere ait güzel konutlar yapılmış. Bağcılık, ipekböcekçiliği ve zeytincilik gelişir gibi olmuş. Çar II. Nikola 1903'te kenti ziyaret etmiş.

18 Aralık 1917'de Artvin Osmanlı ordusu tarafından kurtarılmış. Ancak bir yıl sonra bölge önce İngiliz işgal ordusuna, daha sonra Gürcistan yönetimine boyun eğmiş. 25 Şubat 1921'de Gürcistan Cumhuriyetini istila eden Kızıl Ordu, iki gün sonra Artvin ilini Türkiye'ye terketmiş.

Batum'un Sovyetler Birliğinde kalması nedeniyle başlıca kentini ve doğal limanını yitiren bölge, Cumhuriyet döneminde ekonomik sıkıntıya düşmüş. İl nüfusunun büyük bir çoğunluğu batıya göçmüş. Halen Bursa ve **Kocaeli** illerinde, Artvin nüfusunun iki katına yakın Artvinli yaşıyor.

Çoruh vadisini izleyen Artvin-Batum yolunun Soğuk Savaş sınırıyla kesilmesinden sonra yıllarca Artvin il merkezini Karadenize bağlayan bir karayolu yapılamamış. **Cankurtaran Geçidi** yolu ancak 1960'larda tamamlanmış.

Gezi Programı

Gürcü anıtlarının en önemlileri **Barhal, Dörtkilise, İşhan, Öşkvank, Haho, Dolishane, Yeni Rabat, Opiza** ve **Porta** kiliseleri ile **Ardanuç kalesi**. Özellikle ilk dördünü kaçırmamak gerekiyor. Tesbit edebildiğimiz en güzel köyler **Meydancık** (İmerhev) bucağına bağlı köyler ile Ardanuç'un **Aydın** (Tanzot) köyü. En çarpıcı güzergahlar **Yusufeli-Köprügören,**

atabegs of Imerhevi.

*Batumi grew into a cosmopolitan city during the period of Russian occupation, as the terminus of the Caucasian railways and the shipment port of Caspian petroleum. The town of **Artvin** (Livane), formerly an unimportant place, grew in turn into a summer resort of the Batumian gantry. The cultivation of wine, silkworms and olive was introduced by the Russians, who fancied the town as the most "Mediterranean" extremity of their far-flung empire. Tsar Nicholas II visited Artvin in 1903.*

The province was liberated by the Turkish army on 18 December 1917. A year later it submitted to British occupation, followed by a period of Georgian rule. In 1921 the Red Army occupied the Georgian Republic; a few days later the Bolsheviks relinquished the province, minus the city of Batumi, to Turkey in accordance with mutual agreement.

The loss of its main city and natural harbour to the Soviet Union was a drastic setback for Artvin. The economy declined; a large part of the population migrated to western Turkey. Twice as many Artvinlis now live in the cities of Bursa and İzmit than in the province itself. The only regional magazine about the affairs of Artvin is actually published in Bursa.

Sightseeing

*The leading Georgian monuments are the churches of **Barhal, Dörtkilise, İşhan, Öşkvank, Haho, Dolishane, Yeni Rabat, Opiza** and **Porta**, and the citadel of **Ardanuç**. The first five, in*

Artvin...

Çamlıyamaç-Kılıçkaya, **Ardanuç-Irmaklar-Şavşat yolları** ile **Ardanuç-Ardahan** geçidi. Doğa güzelliği her tarafta var, ama **Karagöl** konaklama imkanı olduğu için tercih edilebilir. **Camili** (Maçahel) olağan dışı konumundan ötürü ziyarete değer.

Saydığımız noktaların her biri az ya da çok maceralı ham yollara girmeyi gerektiriyor. Her biri için ortalama yarım gün ayırmak gerekli.

Tanıdığımız en güzel yürüyüş güzergahı **Demirkent** (Erkinis) yaylalarını **İşhan**'a bağlayan yol. Ayrıca **Yaylalar** (Hevek) köyünden Kaçkar geçidi yoluyla iki günde Ayder'e yürümek mümkün.

İki günlük program

1. Hamamlı (Dolishane), Ardanuç, Yeni Rabat. Gece Artvin.

2. Dörtkilise, İşhan, Öşk-vank. Gece Artvin veya Erzurum.

Üç günlük program

1. Hamamlı (Dolishane), Ardanuç, Yeni Rabat. Gece Artvin.

2. Dörtkilise, Barhal. Gece Barhal veya Yusufeli.

3. Demirkent. İşhan'a yürüyüş. Gece Artvin veya Erzurum.

Dört günlük program

1. Dörtkilise, Barhal. Gece Barhal veya Yusufeli.

2. Demirkent-İşhan yürüyüş veya Kılıçkaya, Öşk-vank, İşhan. Gece Artvin.

particular, are not to be missed. The prettiest villages we have come across are those of the Meydancık (İmerhevi) valley of Şavşat and Aydınköy (Tanzot) near Ardanuç. The most impressive routes join Yusufeli-Köprügören, Çamlıyamaç-Kılıçkaya, Irmaklar-Şavşat and Ardanuç-Ardahan. Natural beauty is everywhere, but Lake Karagöl offers the extra advantage of a pansiyon where one can stay the night. Camili (Maçahel) deserves a trip on account of its unusual location.

Every one of these points requires a more or less adventurous excursion on unpaved roller-coaster roads. On the average half a day should be set aside for each.

*The best **hiking itinerary** that we are familiar with connects the uplands of Demirkent (Erkinis) with İşhan. In addition, you can walk in two days from Yaylalar (Hevek) to Ayder in Hemşin, as detailed in the previous chapter.*

Two-day programme

1. Dolishane, Ardanuç, Yeni Rabat. Night in Artvin.
2. Dörtkilise, İşhan, Öşk-vank. Night in Artvin or Erzurum.

Three-day programme

1. Dolishane, Ardanuç, Yeni Rabat. Night in Artvin.
2. Dörtkilise, Barhal. Night in Barhal or Yusufeli.
3. Demirkent. Hike to İşhan. Night in Artvin or Erzurum.

Four-day programme

1. Dörtkilise, Barhal. Night in Barhal or Yusufeli.

3. Hamamlı (Dolishane), Ardanuç, Yeni Rabat, Aşağı Irmaklar. Gece Karagöl.

4. Meydancık. Artvin'e dönüş veya Kars'a devam.

Çoruh'ta Rafting

Turizm Bakanlığının verdiği destekle Çoruh nehrinin orta kesimi Türkiye'de rafting sporunun odak noktalarından biri haline geldi. En popüler güzergah **Köprügören-Yusufeli** arası. **Barhal** (Altıparmak) Çayı ile onun kolu olan **Köprüdere** de meraklıların ilgisini çekiyor.

Rafting ve kano turları düzenleyen acentelerin bazıları:

2. Hike Demirkent-İşhan or drive Kılıçkaya, Öşk-vank, İşhan. Night in Artvin.
3. Dolishane, Ardanuç, Yeni Rabat, Aşağı Irmaklar. Night at Karagöl.
4. Meydancık. Return to Artvin or continue to Kars.

Rafting the Çoruh

The middle section of the Çoruh river has grown into a mecca of Turkish rafters since the mid-'90s, with half a dozen hopeful operators already offering expeditions. A popular itinerary runs from Köprügören to Yusufeli. The Barhal (Altıparmak) stream, and Köprüdere, a wilder subsidiary of the same, have their enthusiasts.

Here are two organisers of rafting and canoeing tours on the Çoruh:

Alternatif Tur *(0252) 413 5994* «*alternatif@superonline.com*»

Ogzala Turizm *(0212) 293 9195* «*ogzala@ogzala.com*»

Borçka

Nüfus 8,000. Hopa 36 km, Artvin 30 km.
Pop: 8,000. 36 km E of Hopa, 30 km NW of Artvin.

Çoruh nehri üzerinde sempatik kasaba. Gürcüce, Hemşince, Lazca konuşuluyor. **Murgul**'daki bakır madeni bronz çağından beri işletiliyor.

Borçka'dan Çoruh boyunca inilirse **Muratlı** (Maradid) köyü 22 km. Dağ yamacı boyunca kıvrıla kıvrıla giden yolu vaktiyle Ruslar yapmışlar. Muratlı merkezini geçince, 2 km boyunca ırmağın solu Türkiye, sağı Gürcistan. Olağanüstü yeşil bir havza. İnsanlar candan: yol sorunca ısrarla çay içiriyorlar.

*Three regional languages (Georgian, Laz, Hemşinese Armenian) are spoken in addition to Turkish in this small market town on the Çoruh. The copper mines in **Murgul** (16 km west) have been operating since the Early Bronze Age.*

*The old Artvin-Batumi road, a dead-end street since 1921, follows the Çoruh down to the border below **Muratlı** (Maradid), 22 km north of Borçka. For a few extremely green kilometres past Muratlı-centre, the left bank of the river is Turkish while the right bank is Georgian. No crossing is allowed; but the rules are far more relaxed than ten years ago, allowing the innate hospitality of the land to shine across.*

 Demirkol Hotel (3*) Medeni, güleryüzlü. Nataşalar canayakın. Tel: (0466) 415 3660.

Demirkol Hotel (3*) *Friendly, comfortable. Tel: (0466) 415 3660.*

Camili (Maçahel)

Borçka 32 km, asfalt. / 32 km NE of Borçka, paved road.

Karçhal dağının arka yüzünde, doğal çıkışı Batum olan bir vadi. Altı köyün en büyüğü ve bucak merkezi Camili. Gürcistan sınırının tam üzerinde. Türkiye ile bağlantısı 1830 metrelik bir dağ geçidi üzerinden sağlanıyor. Kış aylarında yol genellikle kapalı.

Sınır 1921'de çizilmiş. Toplam 16 köyden onu (aşağıdakiler) Sovyetlerde kalmış. Yıllarca hiç geçiş yoktu. Şimdi insani amaçlı gidiş-gelişlere izin veriliyor. Nüfusun çoğunluğu Kocaeli ilinde oturuyor. Yazın tatile geliyorlar. Dil Gürcüce.

Girişteki paslı "Yasak Bölge - Girilmez" levhası 1990 öncesinden kalma. Şimdi kimse aldırmıyor.

There is nothing very particular about this lushly forested valley on the northern flank of Mt Karçhal except its extremely isolated position at the far end of Turkey. There are 16 Georgian-speaking Muslim villages in the valley, of which the lower ten are in Georgia while the upper six, separated by a voluntary plebiscite in 1921, are in Turkey. A mountain pass, which stays snow-bound for most of the winter months, connects the valley to the rest of Turkey.

No cross-border contacts were permitted during the Cold War, though things are quite relaxed now. People are extremely friendly, as people in such isolated places tend to be; an outsider who strays in will be unable to leave until he has been thoroughly wined and dined by half the inhabitants of Camili.

Gürcüce Öğrenelim
Learning Georgian

Borçka nüfusunun çoğunluğu ile Şavşat'a bağlı Meydancık vadisi halkı Gürcücenin Acara lehçesini konuşuyorlar.

Gürcücenin Gürcü dilinde adı kartuli. Gürcü ülkesine *Sakartvelo* deniyor. Gürcü dili ve edebiyatını inceleyen akademik disiplinin adı *kartveloloji*.

The Adjarian dialect of Georgian is spoken by the inhabitants of villages on the northern and eastern flanks of Mt Karçhal. The Adjara Valley, on the other side of the border, forms a Muslim-dominated Autonomous Republic within the republic of Georgia.

*The Georgian name for the language is **kartuli**. Georgia itself is called **Sakartvelo**. A faculty of **kartvelology** is where one studies the history and literature of the Georgians, hopefully becoming a **kartvelologue** in the end.*

Racebi, garga khar?	Nasılsın, iyi misin?	*How are you, are you well?*
Dğes darosi lamaziya.	Bugün hava güzel	*Today the weather is good.*
Tskali suit, puri camet.	Su içtik, ekmek yedik.	*We drank water, ate bread.*
Gata, dzaghli	Kedi, köpek.	*Cat, dog.*
Kartuli itzi?	Gürcüce bilir misin?	*Do you speak Georgian?*
Erti, ori, sami	Bir, iki, üç.	*One, two, three.*

Artvin

İl merkezi (08). Nüfus 21,000. Trabzon 235 km.

Capital of province (08). Pop: 21,000. 235 km E of Trabzon.

Konum itibariyle Türkiye'nin en çarpıcı il merkezlerinden biri. Çoruh nehrinden 500 m kadar yüksekte dik bir yamaç üzerinde kurulu. Keskin virajlarla tırmanan 3 km'lik bir yoldan kente ulaşılıyor. Sırtı 2000 metrelik **Genya Dağı**.

Yol boyunca Devlet'in güzide kurumları sıra sıra dizilmişler; adeta kenti ablukaya almışlar. Rus döneminden kalma zarif evlerin sonuncuları da yakın yıllarda tahrip edildi. Geceleme zorunluğu dışında, kente uğramak için bir neden kalmadı.

Artvin'in 8 km yukarısındaki **Kafkasör** yaylası her yıl Haziranda popüler bir festivale sahne oluyor. Baş eğlence boğa güreşleri: İspanya'dakinin aksine, burada özel olarak yetiştirilmiş boğalar birbiriyle boğuşuyor. 50.000 kişiyi bulan kalabalıklar üç gün süren festival boyunca çadırlarda yatıp kalkıyorlar. Kamp ateşleri yakıp müşterek bahis oynuyorlar. İçki içip kavga ediyorlar. Getto blaster'lardan Türk popu dinliyorlar. Çöp dağları bırakıp gidiyorlar.

*The location of the town is spectacular. It hangs on a steep slope almost 500 metres above the Çoruh gorge, with the snowy **Mt Genya** rising further in the background. There isn't enough flat space in Artvin, as they say, to build a football field.*

Architecturally, the city has deteriorated badly in recent years. Ugly barracks-housing lines up the curvy 3-km drive up to the city, and the last of the handsome turn-of-the-century mansions from the Russian era will probably fall to the builders' frenzy within another few years.

*The yayla of **Kafkasör** is located 8 km further up on the flanks of Mt Genya. The festival which is usually held here on the third weekend of June features a unique variety of bullfight which pits bull against bull, as well as the usual dancers, bagpipe players, travelling minstrels, jugglers, child wrestlers, kebab-makers and rakı-drinkers. Crowds of 50,000 are not uncommon.*

 Karahan Otel (2*) Artvin turizminin öncüsü. Bina eskidi; iyiniyetli, dostça atmosferi kaldı. Artvin yöresini gezerken en uygun üs. Tel: (0466) 212 1800. Kafkasör Yaylasında belediyenin işlettiği bungalowlar var.

Karahan Otel *(2*) is still your best base when exploring Artvin province, though a remodelling is long overdue. Tel: (0466) 212 1800. The Municipality rents some bungalows in the Kafkasör yayla.*

Yusufeli

Nüfus 5,000. Artvin 76 km. / Pop: 5,000. 76 km SW of Artvin.

İki ırmağın birleştiği yerde kurulu sevimli, köhne kasaba. Çoruh üstünde yapılması planlanan baraj nedeniyle 20 yıldan beri yatırım yapılmadı. Fazla çirkinleşmemesini buna borçlu. Barhal ve Kaçkar yürüyüş turları nedeniyle küçük ama sürekli bir turizm potansiyeli var. Kasabadaki tek içkili lokantada her gece beş-on Avrupalı turiste rastlamak mümkün.

Set on the conjunction of two very muscular rivers, Yusufeli owes its slightly dusty provincial charm to the fact that it has been condemned to sink in the waters of a projected dam, and as a consequence nothing new has been built in it in 20 years. A small but steady trickle of travellers pass through the town on their way to Barhal or Kaçkar mountain tours. They meet every night on the lovely terrace of the Mahzen Beerhouse, right above the eddying waters of the Barhal stream.

 Mahzen Birahanesi. Adıgeçen içkili lokanta. Çağlayarak akan Barhal deresinin kenarındaki terası harika.

 Altı-yedi kasaba otelinin hepsi Yusuf Atılgan'ın Anayurt Oteli modelinde. Biz **Çiçek Palas** (Tel: 0466-811 2393) ve **Barhal Otel**'de (Tel: 0466-811 3151) kaldık; mutlu olmamak için bir neden bulamadık. İkincisinin bazı odaları nehir üzerinde. **Otel Keleş** (Tel: 0466-811 2305) de temiz görünüyor.

*The six or seven hotels all remind us of Turkish provincial inns as they once used to be. We stayed at **Çiçek Palas** (Tel: 0466-811 2393) and **Barhal Otel** (Tel: 0466-811 3151), and found no reason to complain. **Otel Keleş** (Tel: 0466-811 2305) looks fairly clean, too.*

Çoruh Vadisi / Çoruh Valley

Yusufeli-Köprügören arası vadi güzergahı kendine özgü şaşırtıcı bir güzelliğe sahip. Çıplak kızıl dağlar ile verimli vadi yatağı arasındaki kontrast çarpıcı. Köyler güzel, bağlık bahçelik. Üç-beş kilometrede bir kartal yuvası gibi kaleler görülüyor. Çeltik (pirinç) yetiştiriliyor.

Sol yamaçtaki Hodiçur köyü (yeni adı notlarımızdan çıkmadı) bilhassa etkileyici. Buradan Kaçkar sırtındaki Davalı Yaylaya yol var. Gerek Meretet-Kaçkar tarafına, gerekse Tatos boğazı üzerinden Tirevit ve Elevit'e bir-iki günde yürünebiliyor.

Çoruh'un bu kesimi organize rafting gruplarının tercihi. 1994'te Turizm Bakanlığının verdiği destekle popülerleşti. Yol boyunca çeşitli rafting acentelerinin base camp'leri var.

İspir'in köyleri görmeye değermiş. Fırsat bulamadık.

The middle section of the valley between Köprügören and Yusufeli has a peculiar beauty of its own, with a striking contrast between the naked, multicoloured mountains and the fertile valley bed. Small fortresses nestled on rocks alternate with pretty villages set among fruit orchards and rice paddies.

*Most interesting in architectural terms is the village of **Hodiçur** on the left bank of the river. A road leads from this village to **Davalı Yayla**, from which it is possible to cross the mountain on a two-day hike to either Ayder (via the Kavron Gap) or Elevit-Çat (via the Tatos Pass). The name ("Disputed Yayla") refers to a famous court case over pasture rights that has dragged on for over 100 years.*

The base camps of several rafting agencies are set along the way.

Tortum Boğazı / Tortum Gorge

Artvin Kiliseleri
The Churches of Artvin

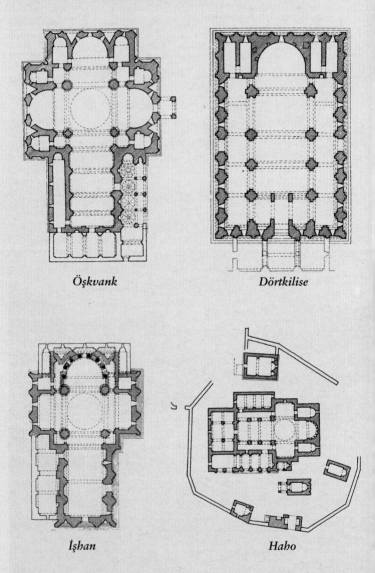

Öşkvank

Dörtkilise

İşhan

Haho

(Vera & Hellmut Hell, **Türkei II**, Kohlhammer 1981)

Barhal

Altıparmak (Barhal) köyü. Yusufeli içinden 31 km bozuk yol.

31 km NW of Yusufeli; poor road.

1000 metre yükseklikte, sulak ve güzel bir dağ köyü. Yol Barhal deresini izleyerek, gittikçe yoğunlaşan çağlayanlar ve ormanlar içinden geçiyor. Henüz asfaltlanmadıysa Türkiye'nin en heyecanlı yollarından biri.

Barhal (Parkhali) **Kilisesi** 990'larda Batı Gürcistan hükümdarı David Magistros tarafından yaptırılmış. Dik çatısı ve keskin geometrik hatlarıyla çarpıcı bir mabet. Halen cami olarak kullanılıyor. Türkiye'de bin yıldan eski olup işlevsel kalan üç-beş kapalı yapıdan biri.

Binanın dış yüzeyini kaplayan Gürcüce yazılar hakkında bilgi edinemedik. 1878-1918 döneminde yazılmış olmaları muhtemel gözüküyor.

Barhal'dan 14 km daha ileride, ormanın üst sınırında **Yaylalar** (**Hevek**) köyü var. Bundan 2-3 km ötesi **Olgunlar** (**Meretet**) mahallesi. Yolun sonu; dolmuşların son durağı. Kaçkar dağına yürüyüş turları genellikle buradan hareket ediyor. Hevek veya Meretet'ten yürüyerek iki veya üç günde Çamlıhemşin tarafında Ayder'e ulaşılıyor.

A bumpy road straight out of Camel Trophy climbs along the the ever-wilder cascades of the Barhal Stream to reach this charming, well-watered village at an altitude of 1000 m.

The 10th century church of Barhal (Parkhali in Georgian) presents a strikingly modern appearance with its starkly angular mass and sloping "nordic" roof. Put to good use as a mosque, it remains in a near-perfect state of preservation – one of a handful of edifices in Turkey that remain functional after more than 1000 years.

The Georgian graffiti covering the outer surface of the building apparently dates from the years of Russian rule.

*The village of **Yaylalar** (Hevek) is located 14 km further up near the upper tree limit. The road ends 3 km further on in the mahalle of **Olgunlar** (Meretet), which serves as the starting point of most Kaçkar walking tours.*

 Barhal'da lokanta yok, 4 pansiyon var. **Karahan Pansiyon** (Mehmet Karahan) 4 oda Tel: (0466) 826 2071. **Marsis Pansiyon** (Ahmet Pehlivan). Tel: (0466) 826 2002. Hevek'te **Altınay Pansiyon**. Meretet'te **Olgunlar Pansiyon/Restaurant**. Tel: (0466) 832 2044.

There is no restaurant but 4 guesthouses in Barhal. **Karahan Pansiyon** *(Mehmet Karahan) has 4 rooms Tel: (0466) 826 2071.* **Marsis Pansiyon** *(Ahmet Pehlivan) Tel: (0466) 826 2002. In Hevek:* **Altınay Pansiyon**. *In Meretet:* **Olgunlar Pansiyon/Restaurant**. *Tel: (0466) 832 2044.*

Dörtkilise

Yusufeli-İspir yolu 7. km'de Tekkale köyü içinden işaretli yol ayrımı; 6 km ham yol.

Signposted in Tekkale, 7 km W of Yusufeli (dir. İspir); then 6 km, barely drivable road.

Barhal kilisesinin benzeri. Katedral boyutlarında, sade ve muhteşem bir yapı. Barhal'ın aksine köy dışında, bağlık bahçelik bir çayırda tek başına. Çevresinde büyük bir manastır kompleksine ait harabeler var. Barhal'la aynı yıllarda, aynı hükümdar — David Magistros — tarafından yapılmış. Portresi doğu cephesindeki pencerenin içinde. Kilisenin içini defineciler delik deşik etmişler.

Tekkale köyünden sapan yol, ceviz ve kiraz ağaçlarıyla çevrili unutulmaz güzellikte bir dere boyunu izliyor.

Tekkale girişindeki kale aynı döneme ait olmalı. Sivri bir kayanın tepesinde. Fotojenik.

*A bare and magnificent church of cathedral-like size stands all alone in a beautiful meadow encircled by walnut and cherry groves. The architecture, very similar to Barhal, dates likewise from the last decade of the 10th century. A portrait of **David Magistros**, the Bagratid lord of Western Georgia (ruled 961-1000), can be seen over a window in the apse. The interior has been vandalised by treasure-seekers, but still keeps some of its excellent mediaeval frescoes.*

*The name ("Four Churches", the same as **Otkhta Eklesia** in Georgian) refers to a second church of probably later date on the east, and two other ruined buildings which were probably seminaries rather than churches.*

A highly picturesque fortress at the entrance of Tekkale dates in all likelihood from the same period as the church.

 Tekkale'de **Cemil'in Pansiyonu**. İlkel, sevimli. Tel: (0466) 811 2908.

Cemil's Pansiyon in Tekkale is basic but friendly. Tel: (0466) 811 2908.

İşhan

İşhan köyü. Yusufeli 32 km. Oltu-Göle ayrımından 8 km sonra "İşhan" levhası; 6 km stabilize.

32 km E of Yusufeli (dir. Oltu/Göle). Signposted 8 km after the Erzurum junction; steep 6 km climb.

Aşağısı Anadolu'nun en çıplak çöllerinden biri. Yolun sonu, tepeyi aşınca, bir cennet vahası. Ceviz koruları, dutluklar, Ağustosta bile solmayan çayırlar arasında güleryüzlü ahşap bir köy. Kilisenin kırmızı-beyaz kubbesi okulun arkasındaki çayırda nefes kesici bir ihtişamla karşınıza çıkıyor. Yüksekliği 35 metre: Süleymaniye'nin üçte ikisi.

Gürcüce yazıt 1032 yılından. İçerideki at nalı şeklindeki apsis daha eski; muhtemelen 880'lerden. 30-40 yıl öncesine dek cami olarak kullanılmış. Şimdi

İşhan is the most fascinating one of Artvin's Georgian churches for location and effect, as well as sheer size. A 6-km drive from the naked desert of the Oltu gorge brings you, very surprisingly, to a storybook village full of ancient timber houses set in a lush oasis of apples, walnuts and mulberries. The church rests quietly in the backyard of the village school, its red-tiled dome rising nearly two-thirds the height of the Hagia Sophia.

The inscription names 1032 as the date of construction, although the horseshoe-shaped colonnade of the choir may date from 828 or even

yıkılmaya terkedilmiş. Yer yer freskler kalmış.

Yandaki küçük vaftizhane binası okulun odun deposu olarak kullanılıyor. Kitabesinin taş işçiliği olağanüstü. Kral **III. Bagrat**'a ait (hd 1000-1014).

İşkhan adı Ermenice "bey, prens" anlamına geliyor. Köyden altı saatlik çok güzel bir yürüyüşle, dağın ardındaki **Demirkent** (Erkinis) kasabasına geçmek mümkün.

earlier. The west arm, walled off, was used as a mosque until a few decades ago. The smaller chapel on the south is now the school's firewood shed. It retains a beautifully detailed inscription which names King **Bagrat III** *(1000-1014) as the builder.*

A splendid hiking route (about six hours) leads from the village and over the mountain to the uplands of **Demirkent** *(Erkinis).*

III. Bagrat'ın yazıtı / King Bagrat III's inscription

Öşkvank

Çamlıyamaç (Öşkvank) köyü. Yusufeli 53 km. Yusufeli-Erzurum yolunda Tortum gölünü 1 km geçince "Öşkvank" levhası; 7 km stabilize.

In Çamlıyamaç (Öşkvank) village, 53 km S of Yusufeli. Signposted 1 km past the S end of Lake Tortum (dir. Erzurum); then 7 km, gravel road.

Devasa boyutlarda bir başka Gürcü kilisesi. Çatısı kısmen göçmüş; kubbe iki kaburga üstünde yıkıldı yıkılacak. İçeride gençler, haykırışları kemerlerden yankılanarak top oynuyor. Arka tarafta esaslı bir okul ya da "medrese" külliyesine ait harabeler var.

Asıl adı **Oşki**: vank eki Ermenice "manastır" anlamında. David Magistros'un eserlerinden. 973 yılında yapılmış. Artvin "rönesansının" son büyük başyapıtı sayılıyor. Gürcistan'daki Kutais katedrali (1003) ile Tiflis yakınlarında Mtzkheta'da Sveti Tskhoveli kilisesi (1010) burayı örnek almışlar.

1980'lerde maili inhidam olduğu gerekçesiyle Erzurum'daki resmi makamlardan yıkım emri gelmiş. Galiba kaymakamın gayretiyle vazgeçirmişler.

Çamlıyamaç köyünden devam eden düzgünce bir stabilize yol **Kılıçkaya** (Ersis) üzerinden İspir-Yusufeli karayoluna çıkıyor. Müthiş manzaralı.

Another Georgian church of awesome size and unlikely location dominates the village of Çamlıyamaç, formerly Öşk-vank. Its interior is lit through a partly collapsed dome, its vaults echoing with the voice of playing children. A narrow band of frescoes survives at mid-height, where a wooden mosque-floor made the wall inaccessible until a few years ago. Both inside and outside are richly decorated with reliefs. The ruins of two massive cloisters lie nearby, among the houses of the uncharacteristically impoverished village.

The church dates from ca. 973, and is considered the final architectural culmination of the Çoruh "renaissance". The cathedral of Kutaisi (1003) and the famous church of Sveti Tskhoveli in Mtzkheta (1010), both in the Republic of Georgia, represent a direct line of development from Öşk-vank.

A highly panoramic gravel road continues from Çamlıyamaç to **Kılıçkaya** (Ersis) and thence to Yusufeli.

Karşı sayfa: Öşkvank katedrali /
Opposite: Öşkvank cathedral

Haho

**Bağbaşı (Haho) köyü. Yusufeli 68 km. Erzurum yolunda Öşkvank
ayrımından 16 km sonra "Taş Cami-Bağbaşı" levhası; 6 km stabilize.**

In Bağbaşı (Haho) village, 68 km S of Yusufeli. Signposted "Taş Cami-Bağbaşı" 16 km
further S of the Öşkvank turnoff; 6 km gravel road.

Öşkvank kilisesinin biraz daha küçük ikizi. Sağından solundan dereler akan bir armut bahçesi içinde. Gürcistandaki benzerleri gibi, sur görünümünde bir bahçe duvarıyla çevrili.

Yapı 960-70'lerden. Cami olarak kullanıldığı için ince detayına kadar sağlam kalmış. Şimdiki imamın gayretiyle korunabilmiş. Ulusal standartlara uygun bir beton cami yaptırıp bunu kaderine terketme yönünde üst makamlardan baskı var.

Ünlü **Hahuli Triptiği** 12. yüzyılda burada yapılmış, altın ve gümüş üzerine emaye işlemeli Meryem ikonu. Bir ara Rusların eline geçmiş; Petersburg hazinesine kaldırılmış. Kruşçev döneminde Gürcülere iade edilmiş. Şimdi Tiflis Müzesinin hazine dairesinde. Gürcü sanatının başyapıtı sayılıyor. 1.5 x 2 m boyutunda, çılgın bir şaheser.

*The smaller twin of the Öşkvank church stands in a lovely pear garden watered by babbling brooks and surrounded by a regular fortress wall in the village of Bağbaşı – formerly **Haho**, or **Khakhuli** in Georgian. It dates from the third quarter of the 10th century, and remains in perfectly good shape as a working mosque. The present imam has waged a long battle to save the building from the authorities who would rather build a brand new mosque according to the Department rulebook and abandon the church – like Öşkvank, İşhan and countless others – to its fate.*

*The gold-and-enamel **Triptychon of Khakhuli**, the most famous masterpiece of mediaeval Georgian art and the chief treasure of the Art Museum of Tbilisi, was made here in the 12th century. It was returned to Georgia in the 1960s after many adventures involving Genghis Khan, Catherine the Great and the communists.*

Dolishane

Hamamlı (Dolishane) köyü. Artvin 20 km. Yeni Ardanuç kavşağının karşısında levhasız stabilize yol; 6 km çok dik.

In Hamamlı (Dolishane) village, 20 km SE of Artvin. Unmarked gravel road exactly opposite the new Ardanuç junction; steep 6 km climb.

Artvin'deki ortaçağ kiliselerinin en küçük ve sevimli olanı. Merya vadisinin neredeyse dikey olarak yukarısında: dikkat edilirse aşağıdan görülüyor. 950'li yıllarda Bagrat oğullarından I. Smbat yaptırmış. Ortadan ahşap bir platformla ikiye bölmüşler. Üst kat cami; alt kat imamın erzak deposu. Depo bölümünü sıvamadıkları için eski freskler kısmen görülebiliyor. El feneri şart.

Cami bahçesinde Gürcüce yazılı güzel bir güneş saati vardı. Birkaç yıl önce sökmeye çalışırken parçaladılar.

Köy güzel, insanlar candan. Manzara başdöndürücü.

*The church of Dolishane is the smallest – and in some ways the friendliest – of the medieval monuments of Artvin. It is located in a pleasant village almost vertically above the Merya valley, and continues to serve as a mosque. An inscription in Georgian names **Smbat I** of the Bagratids (ca. 950) as the founder. A wooden platform cuts the interior into two. Above the partition is the mosque; below it is the imam's pantry, decorated with a set of splendid frescoes that can be seen with the help of a flashlight.*

A mediaeval sundial on the outer wall of the church was destroyed a few years ago by vandals who expected to find hidden gold under it.

Ardanuç

Nüfus 5,000. Artvin 28 km. / Pop: 5,000. 28 km E of Artvin.

Ardanuç Kalesi dik kenarlı masa şeklinde görkemli bir tepenin üzerinde. Ardanuç'un tek girişi olan dar ve korkunç boğazı kontrol ediyor. 810'lardan 1000'li yıllara dek Klarceti ülkesine hakim olan Bagratoğullarının makamı olmuş. Sonra Ahıska beylerinin mülkiyetine geçmiş. 1548'de Osmanlılarca fethedilmiş. Başdöndürücü bir merdivenle yukarı çıkılıyor. Manzara güzel.

Boğazın öbür ucunda, girişi tutan **Ferhatlı Kalesi** var. 15-20 yıl önce defineciler altını oyup bir bölümünü çökerttiler.

Cehennem Kanyonu boğazın orta kısmında. Sarı tabelanın olduğu yerdeki kayaya tırmanıp gedikten içeri girmek gerekiyor. Sierra Madre'nin Hazinesi filmini anımsatan, saklı, ıssız bir kanyon. Kenarları 100-150 metre yükseklikte.

Kasaba uyuşuk. Eski yerleşim kalenin yamacındaymış. Ruslar zamanında düze taşınmış. Park şeklindeki ana meydanı da Ruslar yapmış.

*The mighty **Fortress of Ardanuç** crowns an almost vertical table-rock, looking down on a narrow gorge that provides the only natural entrance into the Ardanuç basin. It was a key stronghold for the Bagratids who built or acquired it in 813, the atabegs who inherited it, and the Ottomans who captured it in 1548. Climbing to it requires steady knees and strong nerves.*

*A second fortress, known locally as the **Castle of Ferhat**, controls the other end of the gorge. In between the two, a small gap in the rock wall gives access to **Hell's Canyon**, a closed, uninhabited basin with walls about 150 metres high. We had the singular experience of seeing a goat drop down to its death from the canyon wall when we were there in 1998.*

The town itself is sleepy. It was moved down to its present location from the base of the fortress by the Russians, who also built the park-like central square.

Aydınköy (Tanzot)

Ardanuç 18 km. Bozuk yol. / 18 km S of Ardanuç; poor road.

Yalnızçam dağlarının yamacında güzel, geniş bir çanağa hakim. Diğer adı Tanzot (Ermenice "Armutlu" demek). Eski ahşap mimarisini bütünüyle korumuş. Gürcüce kitabeli harikulade sevimli bir ahşap camii ve 1840 tarihli metruk Ermeni kilisesi var. Bir kale tarafından korunan dik boğazdan geçerek ulaşılıyor. Arkası İsviçre usulü çayırlı yaylalar ve karaçam ormanları. Daha arkası yaz-kış karlı Yalnızçam silsilesi. Panorama eşsiz.

Yalnızçamların ikinci en yüksek tepesi (2951 m) köyün arkasında. Bir günde zirve yapıp dönmek mümkün.

A large village full of beautifully ornamented wooden chalets, Tanzot sits in an isolated bowl on the western flank of the Yalnızçam Mountains. A mediaeval fortress protects the entrance of the basin. In the background, green meadows climb in very Swiss fashion to dark woods of fir and the permanent snow of the peaks. An abandoned Armenian church and a delightful wooden mosque with an inscription (most unusually) in Georgian complete the village scenery.

The second highest peak of the Yalnızçam range (2951 m) lies directly behind the village. It is possible to climb the summit and return in 6 to 8 hours.

Yeni Rabat

Bulanık köyü. Ardanuç içinden 17 km.
In Bulanık village, 17 km SE of Ardanuç.

Zümrüt yeşili çayırların ortasında tek başına, anıtsal kilise. Dış kaplaması son birkaç yılda tamamen söküldü, kel bir harabeye dönüştü. Muhtemelen 10. yüzyıl. 1910'lara dek kullanılmış. Etrafı bahçelik, müthiş huzurlu.

Bulanık köyü yüz yıllık antika kütük evlerle dolu: son derece otantik. Kilise köyden 3-4 km ileride. Yolu manzaralı, çok bozuk. Arabayı köyde bırakıp yürümek daha mantıklı.

Rabat (ribat) Osmanlıca han, konak, tekke demek. Kiliseye neden bu isim verilmiş, saptayamadık.

The monastery church of **Shatberdi***, locally known as Yeni Rabat ("New Inn") stands all alone and partly stripped of its outer masonry in the midst of an emerald-green meadow. Probably alone among Artvin's mediaeval churches, it seems to have remained in Christian use until the 1910s.*

The village of Bulanık is a terribly archaic sort of place with some impressive log architecture. One can drive to the church along a bad 4 km road from the village itself; or alternatively, walk to it in about 30 minutes from a spot (alas, unmarked) about 4 km before the village.

Zümrüt yeşili çayırlar / Emerald-green meadows

Bilbilan Yaylası

Ardanuç 35 km. / 35 km S of Ardanuç (dir. Ardahan).

Yalnızçam Geçidi yolu Türkiye'nin en vahşi ve muhteşem güzergahlarından biri. Asfalt değil. Geçit bazen Mayıs sonlarına dek kar nedeniyle kapalı. Rakım 2660 metre.

Geçidin altındaki Bilbilan Yaylasında yaz ayları boyunca kurulan hayvan pazarı eskiden müthiş renkli, curcunalı bir panayır idi. 1980'lerden sonra hayvancılığın çökmesiyle canlılığını yitirdi. Türkiye'nin her yanından gelen celeplere, canbazlara rastlanıyor.

*Rising to 2660 metres at the **Yalnızçam Pass**, the Ardanuç-Ardahan drive offers some unforgettable mountain scenery. The road is unpaved, and usually snowed-in till early June.*

*A major cattle-and-sheep fair is held through July and August in the **Bilbilan** yayla, below the pass. This used to be superbly lively occasion involving enormous herds and dealers from all parts of Eastern Turkey and Iran before the recent troubles in the Southeast devastated Turkish cattle farming in general. A traveller will still find plenty of local colour (and odour) to enjoy.*

Opiza ve Porta

Opiza: Bağcılar (Berta) köyü. Artvin 27 km. Şavşat yolunda Ardanuç kavşağından 7 km sonra "Bağcılar" levhası; 4 km bozuk yol.

Porta: Pırnallı (Porta) köyü aşağı mahalle. Artvin 37 km. Şavşat yolunda Ardanuç kavşağından 16 km sonra "Pırnallı" levhası; Pırnallı köyüne çıkmadan sola sapın. Ayrıca karayolunda "Porta Ruins" levhasından hayli dik yürüyüş yolu var (45 dak).

Opiza: In Bağcılar (Berta) village. Left turn signposted "Bağcılar" 23 km E of Artvin (dir. Şavşat); then 4 km.

Porta: In lower Pırnallı (Porta) village. Left turn signposted "Pırnallı" 32 km E of Artvin (dir. Şavşat); then 5 km. There is a shorter (but steep) walkway from the highway marked "Porta Ruins".

9. yüzyıldan kalma iki kilise. Her ikisi de çok harap; çevrenin güzelliği nedeniyle her ikisi de arayıp bulmaya değer.

Asıl Pırnallı köyü çok yukarıda. Artvin ölçülerinde bile etkileyici bir konumda, otantik bir dağ köyü. Köy halkının önemli bir bölümü, bilemediğimiz bir nedenle kör.

Both of these 9th century Georgian churches are in very ruined condition, but deserve to be sought out on account of the very pretty rural environment.

The upper Pırnallı village, almost vertically above the lower part of the village where the church is, enjoys a position which is dramatic even by Artvin standards. A large number of the village's inhabitants are blind for an unknown medical reason.

Artvin köyleri / Village in Artvin

Meydancık (İmerhev)

Artvin 72 km. Yol ayrımından Meydancık merkez 26 km. Yarısı asfalt.

72 km NE of Artvin. 26 km from road junction to Meydancık-centre, half of it paved.

Yirmibeş kadar köyden oluşan ayrı bir bölge. Tarihte bağımsız beylik olmuş. Halkı Gürcüce konuşuyor. Artvin ilinin en güzel ahşap köyleri burada. Özellikle ahşap camileri görmeye değer.

Bölgenin kalbi, 800 metre dolayında başlayan bir İsviçre vadisi. Girişinde İmerhev atabeylerinin yıkık kalesi var. Bucak merkezi olan **Meydancık** (Diyoban) köyü burada. Daha yukarısı harikulade güzellikte yaylalar. **Mısırlı** (İvet) köyünden sonrası teorik olarak yasak bölge,

The valley of the İmerhevi, containing about 25 Georgian-speaking villages, once formed an independent feudal domain. Its attractions include some of the purest "chalet" architecture of Artvin province as well as a few delightful wooden mosques.

*The heart of the region is the upper part of the valley, which begins at the village of **Meydancık** (formerly Diyoban), set behind the fortress of the former atabegs of İmerhevi, and continues to some wonderfully lush high pastures*

ama sınır karakoluna kadar serbestçe gidiliyor. Sınır kapısı 2000 küsur metre yükseklikte. Geçiş yok.

Karçhal zirvesine (3415 m) en kestirme yol Meydancık merkeze gelmeden Çağlayan-Madenköy üzerinden. Güneyde Pırnallı köyünden, batıda Borçka-Gündoğdu-Otingo kaplıcası yolundan da ulaşım var.

located on the Turkish-Georgian border. Official permission is needed to go past the village of **Mısırlı** *(İvet), though this rule does not seem to be enforced seriously. It is possible to drive (just) or to hike over the mountain to the valley of Camili (Maçahel).*

The shortest route to the summit of **Mt Karçhal** *(3415 m) goes via Çağlayan and Madenköy, up a side-valley south of Meydancık-centre. Other paths lead from the village of Pırnallı in the south or via Borçka-Gündoğdu-Otingo Springs in the west.*

Tbeti

Cevizli (Tbeti) köyü. Şavşat 14 km. Şavşat'a 3 km kala sola "Tibet-Karagöl" işaretli yol ayrımı. Ciritdüzü köyünden sola sapın.

In Cevizli (Tbeti) village, 14 km N of Şavşat. Signposted turn 3 km below Şavşat; turn left in Ciritdüzü village.

Kalıntılarından anlaşıldığı kadarıyla görkemli bir kiliseymiş. II. Aşod (hd 908-918) devrinde yapılmış. 1967'de Şavşat kaymakamlığının girişimiyle temellerine patlayıcı koyup havaya uçurmuşlar. Taşıyla okul ve cami yapmışlar. Sonra fikir değiştirip korumaya almışlar. Şimdi geriye kalan taşlarla ahır, müştemilat vb. tamir etmeye kalkan köylüyü mahkeme mahkeme süründürüyorlar.

Tbeti Gürcüce "ılıca" demek. Gürcü destan şairi **Şota Rustaveli** (12. yüzyıl sonu) muhtemelen Tbeti manastırında eğitim görmüş. "Kaplan Postundaki Adam" isimli destanı dünya edebiyatının önemli eserlerinden sayılıyor.

Köy dünya güzeli ahşap evlerle dolu. Yörede **Poşa** adı verilen göçebe bir zümre yaşıyor. Yerleşik halk arasında kötü şöhretleri var.

To judge by the ruins, the monastery church of Tbeti must have been a monumental edifice. It was built under Ashod II (908-918), and dynamited in 1967 by the local authorities who became convinced that its stones could be put to better use in building a new mosque and a school. A single, gigantic apsis somehow remains standing. The village itself is an absolutely charming one, with hardly a trace of modern brick or cement to disturb its sleepy harmony.

*The Georgian national poet, **Shota Rustaveli**, was probably schooled at the monastery of Tbeti in the 12th century. His Man in a Panther's Skin is counted among the masterpieces of mediaeval epic poetry.*

Karagöl / *Karagöl Lake*

Şavşat 30 km. Şavşat'a 3 km kala sola "Tibet-Karagöl" işaretli yol ayrımı. Ciritdüzü-Veliköy-Meşeli üzerinden 27 km bozuk yol.

30 km N of Şavşat. Signposted turn as in Tbeti; continue right in Ciritdüzü to Veliköy and Meşeli. Poor road.

Köknar ormanlarıyla çevrili ıssız bir göl. Müthiş güzel yerlerden geçerek ulaşılıyor. İyi balık çıkıyor. Kışın yaban kazı sürüleri geliyor. Etrafta haftalarca tükenmeyecek yürüyüş rotaları var.

Konaklama imkanı olduğu için daha da ilginç. İstenirse gölün karşı yakasındaki düzlükte çadır kurulabilir.

Aşağı Koyunlu köyünden 1,5 saatlik yürüyüşle kayadan oyma bir manastıra varılıyor. Yerel adı **Odalar**. Tarih belirsiz.

This remote alpine lake is a good excuse to go exploring the quasi-Swiss landscape of the upper Şavşat valleys — the more so since the only decent guesthouse this side of Artvin is located on its shore. In summer the forest is full of brown bear, wild boar, fox and deer; in winter swarms of wild geese cover the surface of the lake. The hiking opportunities are nearly endless.

Villages in the vicinity consist almost purely of timber chalets in the traditional style, sporting roundabout terraces and finely ornamented balconies. A cave monastery, locally called **Odalar** *("The Rooms"), can be reached by a one-and-a-half hour's walk from Aşağı Koyunlu village.*

 Karagöl Pansiyon. Eski Orman lojmanı. Şimdi özel işletme. Altyapı ilkel; konum olağanüstü; patron başlı başına bir efsane. Önceden telefon edip yiyecek tedarik etmek gerekli. Tel: (0466) 537 2137, 537 2300.

Karagöl Pansiyon *offers spartan facilities, magnificent location, in total isolation by the lake shorè. It is necessary to phone in advance. Tel: (0466) 537 2137, 537 2300.*

Şavşat

Nüfus 7,000. Artvin 90 km. / Pop: 7,000. 90 km E of Artvin.

Eskiden Şavşeti adıyla müstakil beylik olmuş. Kasabada ilginç bir şey yok. Nüfus sol eğilimli.

Asfalt yol **Çam Geçidi** (2460 m) üzerinden Ardahan'a devam ediyor. İlkyaz aylarında müthiş. 5-6 km yukarıda **Yavuzköy**: İsviçre ve Tirol yaylalarına yaraşır bir dağ köyüydü, birkaç yıldan beri çirkin binalarla doluyor. Daha yukarısı **Sahara Dağı** Milli Parkı. Bakir orman.

*In the past, the fertile valleys of Şavşat formed the independent lordship of **Shavsheti**. The modern town is uninteresting except for a couple of workshops trying to keep alive the dying craft of carpet weaving.*

*A paved road continues over the **Çam Pass** (2460 m) to Ardahan and Kars. The landscape is strongly reminiscent of the uplands of Switzerland and the Tyrol, minus the washed cows and the smiling tourists.*

Şavşat yaylaları / Şavşat uplands

 Kasabadaki 6-7 otelin çoğu Nataşa işletmesi. Tek mantıklı yer **Kent Oteli**. Tel: (0466) 517 1161.

*All but one of the half-dozen hotels in town serve the Natasha traffic. **Kent Hotel** is the exception. Tel: (0466) 517 1161.*

Nasıl Gezmeli

Karadeniz tur programınızı yaparken iki noktayı akıldan çıkarmamakta yarar var.

Birincisi, Doğu Karadeniz Batı Karadeniz'e oranla çok daha ilginç bir bölge. Karadeniz'deki en önemli gezi hedeflerinin çoğu Trabzon'un — hatta Rize'nin — doğusunda bulunuyor.

İkincisi, Karadeniz'in güzelliği kıyılarda değil dağlarda. Deniz sevenler için Karadeniz yeterince cazip bir bölge değil: plajlar vasat, mevsim kısa, ortalama üç günün biri yağışlı. Ayrıca, özellikle Sinop ile Hopa arasındaki kıyı şeridi Türkiye'de bile eşine az rastlanır çirkinlikte bir kentleşme hummasına uğramış bulunuyor. Karadeniz bölgesinin tadına varmak için, kıyılarda çok oyalanmadan, her biri ayrı bir kapalı dünya olan vadilere, yaylalara sapmanız gerekiyor.

Gezi programı

Mutlaka görülmesi gereken yerler şunlar:

    1. Trabzon ve Sumela

    2. Çamlıhemşin ve Kaçkar yaylaları

    3. Artvin ili.

Son ikisine en az ikişer gün, tercihan daha fazla süre ayırmak gerekli. Daha uzun bir yolculukta ise kilit isimler *Safranbolu* ve *Amasya.*

Süreniz kısıtlı ise İstanbul veya Ankara'dan Trabzon'a uçup orada araç kiralamak makul bir yol. Yüzlerce kilometre yol katetmeden doğrudan doğruya bölgenin kalbine ulaşacaksınız. Yola Trabzon'dan çıkınca akla gelen bir olasılık, Doğu Karadeniz'i Doğu-Güneydoğu Anadolu turuyla birleştirmek. Trabzon'da başlayıp Urfa veya Antakya'da biten bir program için en az 9-10 gün ayırmak lazım.

Aşağıdaki programlarda sözü edilen Bayburt-Uzungöl (Soğanlı Geçidi) yolu herkese göre değil. Sağlam bir araba ve sağlam sinirler gerektiriyor. Kötü yola girmek istemeyenler Bayburt yerine Sürmene-Of üzerinden Uzungöl'e çıkmayı tercih edebilirler.

Yusufeli-İspir yolu da, daha az maceralı olmakla birlikte bir hayli bozuk.

5 Beş günlük program

1. Uçakla Trabzon. Sumela.
Gece Trabzon; veya
Sumela'dan Zigana Geçidi,
Bayburt. Gece Uzungöl.
2. Sürmene. Çamlıhemşin.
Gece Ayder.
3. Zilkale'ye yürüyüş.
Gece Artvin.
4. İşhan, Öşk-vank, Dörtkilise.
Gece Yusufeli veya Artvin.
5. İspir, Ovitdağı Geçidi,
İkizdere. Gece Trabzon.

7 Yedi günlük program
(Uçtan Uca Karadeniz)

*İstanbul veya Ankara'dan
otomobille*
1. Safranbolu. Gece
Safranbolu.
2. Kastamonu, Kasaba. Gece
Amasya.
3. Niksar, Ünye, Giresun.
Gece Trabzon.
4. Sumela. Gece Trabzon
veya Zigana-Bayburt
üzerinden Uzungöl.
5. Çamlıhemşin, Zilkale.
Gece Ayder.
6. Artvin, İşhan, Öşk-vank.
Gece Erzurum.
7. Erzincan, Sivas, Ankara.

7 Yedi günlük program
(Karadeniz Dağları)

1. Uçakla Trabzon. Sumela.
Kuştul. Vazelon. Gece Maçka
veya Hamsiköy.
2. Zigana geçidi. Bayburt. Gece
Uzungöl.
3. Haldizen'den Anzer'e
yürüyüş. Gece Çamlık veya
İkizdere. *(Araba varsa bir
şekilde Uzungöl'den Rize veya
İkizdere'ye gönderilmesi
gerekiyor.)*
4. Şimşirli Camii. Rize.
Çamlıhemşin. Gece Ayder.
5. Yukarı Kavron'dan yürüyüş.
Gece Amlakit.
6. Yürüyüş. Gece Pokut.
7. Çamlıhemşin. Sürmene
Kastel. Gece Trabzon.

11 Onbir günlük program
(Karadeniz-Doğu Türkiye)

1-4. Beş günlük
programdaki gibi.
5. Şavşat, Kars.
6. Ani, Doğubeyazıt. Gece
Van.
7. Ahtamar, Deveboynu
Yarımadası. Gece Tatvan.
8. Nemrut Krateri, Bitlis,
Hasankeyf, Midyat. Gece
Mardin.
9. Harran. Gece Urfa.
10. Nemrut Dağı. Gece Kahta.
11. Gaziantep veya Urfa'dan
uçakla dönüş.

Mevsim

Mayıs ve Haziran'da doğa muhteşem, ancak yüksek dağ yollarının bir kısmı çamur ve kardan kapalı olabilir. Temmuz-Ağustos, yayla festivalleri mevsimi. Eylül ve Ekim Karadeniz'in en az yağış aldığı aylar. Ekim'in ikinci yarısında bazen 10-15 gün hiç yağmur yağmadığı oluyor! Kışın dağ yollarının birçoğu kapalı; yaylalara ulaşım yok.

Deniz mevsimi Haziran ortasından Eylül başlarına kadar. Her mevsimde yanınıza şemsiye, yağmurluk ve lastik çizme almayı ihmal etmeyin. Yüksek yaylalarda yaz ortasında bile kalın bir kazak gerekebilir.

Ulaşım

Ulaşım için özel araç şart gibi. Gitmeye değer yerlerin birçoğuna kamu araçları işlemiyor, işlese de günde ancak bir-iki sefer yapıyor. Dağ yolları genelde kötü; bazen çok kötü. Kitabımızın araştırmasını yaparken gerçi dört çekişli arazi aracı kullanma gereği duymadık. Ancak her durumda yüksek tabanlı, darbeye sarsıntıya dayanıklı bir otomobil gerekli. Favorimiz Kartal. Basit fakat etkili bir öneri: Yağ deposu altına çelik muhafaza yaptırın, dağ başında karter delme korkusundan kurtulun.

Türk Hava Yolları İstanbul'dan Sinop (haftada iki kez), Samsun (her gün), Trabzon (günde üç kez), Erzurum (günde iki kez) ve Kars'a (her gün) uçuyor. Ankara'dan Sinop'a haftada bir, Samsun'a haftada iki, Trabzon'a günde iki, Erzurum'a günde bir, Kars'a günde bir uçak var.

Ayrıca İstanbul Havayolları günde bir, bazen iki kez İstanbul'dan Trabzon'a uçuyor.

İstanbul-Samsun otobüs yolculuğu 11 saat. İstanbul-Trabzon 18-20 saat. Başlıca firmaların İstanbul ve Ankara telefonları:

Metro	*(0212) 658 3232*	*(0312) 224 0012*
Sezer	*(0212) 658 3333*	*(0312) 224 1555*
Süzer	*(0212) 658 0190*	*(0312) 224 0280*
Ulusoy	*(0212) 658 3000*	*(0312) 286 5330*

Deniz Yolları İşletmesi

Haziran-Eylül ayları arasında İstanbul-Trabzon feribot seferleri düzenliyor. Hareket saatleri İstanbul'dan her Pazartesi 17.30, Trabzon'dan her Çarşamba 22.00. Her iki yönde gemi Sinop ve Samsun'a uğruyor.

Deniz Yolları İşletmesinden telefonla bilgi almaya çalışmak beyhude bir çaba.

Rent-a-car Firmaları

Avis Trabzon (0462) 325 5582
Candi Trabzon (0462) 325 3252
DeCar Rize-Trabzon (0464) 223 5815
Rasibu Samsun (0362) 431 9339

Harita

R. Ryborsch'un 7 haritalık 1:500.000 Türkiye dizisi halen piyasada varolan en iyi yol haritaları. Uzak yayla yollarının birçoğunu bu haritalarda oldukça doğru olarak bulmak mümkün.

Kaçkar dağlarının ayrıntılı topografik haritaları, yöreye yürüyüş ve tırmanış gezisi düzenleyen acentaların çoğundan fotokopi olarak temin edilebilir.

Turizm Danışma Büroları

Genelde faydasız.

Bolu (0374) 215 5479.
Safranbolu (0370) 712 3863.
Kastamonu (0366) 212 0162.
Sinop (0368) 261 5207.
Samsun (0362) 435 2887.
Amasya (0358) 218 5002.
Ordu (0452) 223 1607.
Giresun (0454) 212 3190.
Trabzon (0462) 321 4659.
Gümüşhane (0456) 213 3472.
Rize (0464) 213 0408.
Artvin (0466) 212 3071.

How to Travel

Two points bear keeping in mind when planning your Black Sea tour.

First: *The eastern part of the region is far more interesting than the west. The most memorable travel destinations lie east of Trabzon, not to say of Rize.*

Second: *The seacoast holds little excitement. Beaches are mediocre, and the urban sprawl chaotic even by modern Turkish standards. To fall in love with the region you must turn inland and head towards the high valleys and yaylas of the Pontic Mountains. Each of these is a closed world onto itself, with secrets to uncover and stupendous landscapes to enjoy.*

Planning your trip

The must-see list consists of:

>   1. Trabzon and the Sumela monastery
>   2. Çamlıhemşin and the Kaçkar highlands
>   3. The province of Artvin.

Reserve two or three days each, more if possible, for the last two. **Safranbolu** *and* **Amasya** *are two additional destinations to keep in mind on a longer journey.*

If you have little time or dread the long drive, then the sensible thing to do is to fly to Trabzon and to rent a car there. You may then either concentrate on the most fascinating part of the Black Sea region, or combine it with a tour of Eastern Turkey as a whole. For a journey starting in Trabzon and ending in Urfa or Antakya, you must reckon a minimum of 10 days.

The itineraries below try to squeeze as many highlights into as few days as possible. Be warned that some of the mountain routes involve rough driving. As a rule, it is wise to be relaxed about time when you travel to the mountains, as weather and road conditions can be unpredictable, and some cars, being unaccustomed to Lazic terrain, have a way of going dead at the farthest possible point from a repair shop.

The Bayburt-Uzungöl (Soğanlı Pass) route, in particular, is far off the beaten track. Travellers who do not wish to test their driving skills so near the clouds could reach Uzungöl more conventionally via Sürmene and Of.

Five-day Programme

*1. Fly to Trabzon. Sumela Monastery. Overnight in **Trabzon**. Or continue to Zigana Pass, Bayburt. Overnight in **Uzungöl**.*
*2. Sürmene. Çamlıhemşin. **Ayder**.*
*3. Hike to Zilkale. **Artvin**.*
*4. İşhan, Öşk-vank, Dörtkilise. **Yusufeli** or **Artvin**.*
*5. İspir, Ovitdağı Pass, İkizdere. **Trabzon**.*

Seven-day Programme
(Jumbo Black Sea)

By car from Istanbul or Ankara

*1. Overnight in **Safranbolu**.*
*2. Kastamonu, Kasaba. **Amasya**.*
*3. Niksar, Ünye, Giresun. **Trabzon**.*
*4. Sumela. **Trabzon** or to **Uzungöl** via Zigana-Bayburt.*
*5. Çamlıhemşin, Zilkale. **Ayder**.*
*6. Artvin, İşhan, Öşk-vank. **Erzurum**.*
7. Erzincan, Sivas, Ankara.

Seven-day Programme
(Pontic Mountains)

*1. Fly to Trabzon. Sumela, Kuştul, Vazelon monasteries. Overnight in **Maçka** or **Hamsiköy**.*
*2. Zigana Pass. Gümüşhane. Bayburt. **Uzungöl**.*
*3. Hike (3 hours) or drive from Haldizen to Anzer. Şimşirli mosque. **Rize**.*
*4. Çamlıhemşin. Zilkale. **Ayder**.*
*5. Three-day hike starting in Kavron. **Amlakit**.*
*6. Hike. **Pokut**.*
*7. Çamlıhemşin. Sürmene Kastel. **Trabzon**.*

Eleven-day Programme
(Black Sea-Eastern Turkey)

1-4. As in Five-day Programme.
*5. Şavşat, **Kars**.*
*6. Ani, Doğubeyazıt, **Van**.*
*7. Ahtamar Island, Deveboynu Peninsula, **Tatvan**.*
*8. Nemrut Crater Lake, Bitlis, Hasankeyf, Midyat, **Mardin**.*
*9. Harran, **Urfa**.*
*10. Nemrut Mountain, **Kahta**.*
11. Fly out of Urfa or Gaziantep.

When to go

Nature is at its most spectacular in May and June, but some mountain roads will still be closed by mud or snow. July and August is the season for yayla *festivities. The weather may be muggy on the coast but it is never really hot; a good sweater will be handy at higher altitudes even in mid-summer. It is bright and clear in September and October, and it rains less – you might even, with luck, get fifteen consecutive clear days in October! Nearly all the mountain passes except the Zigana stay shut November through April, though it never gets unpleasantly cold down on the seashore.*

The swimming season is, for most people, mid-June to early September. It is essential to carry an umbrella, rainwear and waterproof boots at all times.

Transport

Every town and hamlet is, theoretically at least, accessible by public transport. Buses run along the coastal highway at the rate of a dozen-a-minute, and minibuses (called either dolmuş *or* servis*) connect market towns to the remotest* yayla *and* mahalle *at least once a day.*

This said, you should still consider having your own means of mobility unless your time is unlimited and you enjoy hordes of locals taking a close interest in your itineraries.

This book takes you to some very far places. Mountain roads are usually bad and sometimes very bad, but never so bad that you would absolutely need a 4WD vehicle to get there. Our own ancient Kartal, a Fiat lookalike, has served us well in every single one of the routes described – give or take the occasional bruised muffler or broken axle.

The only good advice when renting a car is that it should have high clearance. A punctured oil tank on Soğanlı Pass may be a lot of fun in retrospect, but it will wreak havoc with your travel planning.

By air and sea

Turkish Airlines (www.thy.com) *fly from Istanbul to Sinop (twice weekly), Samsun (daily), Trabzon (3 times daily), Erzurum (2 times daily) and Kars (daily). From Ankara there is one flight per week to Sinop, two a week to Samsun, twice a day to Trabzon, once a day to Erzurum and once a day to Kars. Istanbul Airlines fly once or twice a day to Trabzon at reduced rates.*

The passenger ferry plies the coast weekly June through September. Departure times are Monday evening from the Karaköy pier in Istanbul and Wednesday night from Trabzon. The passage takes about 40 hours each way with calls at Sinop and Samsun. A government company runs the service (so to speak) in true government style.

Maps

The best road maps of Turkey are the seven-piece set of 1:500.000 maps published by **Reinhard Ryborsch** *in Germany. These are available in Turkey at big city bookstores, but nowhere at all in the Black Sea region. All other publicly available maps are scaled 1:800.000 or worse.*

Detailed hiking maps of the Hemşin-Kaçkar region can be obtained through local travel agencies and trekking clubs.

Accommodation

Standard-issue two and three-star hotels exist in every town along the coast and in provincial capitals of the interior; they cost a pittance and rarely require advance booking. Four-star comfort is available in **Samsun, Tokat, Trabzon** *and* **Erzurum** *only.*

A tourism infrastructure of sorts has emerged in (going west to east) **Ağva, Safranbolu, Amasra, Sinop, Amasya, Maçka-Sumela, Uzungöl** *and* **Ayder** *(Çamlıhemşin). You have a fair choice of small, private and attractive accommodations in these places.*

Elsewhere, finding a place to spend the night may prove a complicated task. Many small towns of the interior simply do not have a hotel of any description. In case of necessity the Ministry of Education's **teacher lodgings** *(Öğretmenevi) may be worth a try.*

Organised **campsites** *are practically non-existent except near some beaches on the coast. When camping out in the open it may be wise to inform the nearest gendarmerie so as to avoid unnecessary midnight visits.*

You will notice that some hotels, in the eastern half of the region in particular, enjoy a large proportion of female visitors from the republics of the former Soviet Union. The **"natasha factor"** *has been a part of the region's economic and social life ever since the collapse of the Soviet system. This should not bother you at all, except in some hotels where loud entertainment may be on offer until late hours.*

Security

As everywhere else in Turkey – except perhaps the touristvilles of the Aegean-Mediterranean Riviera – everyone you meet will be extraordinarily kind, generous, and sometimes downright chivalrous toward an outsider. This includes the common folk, bus drivers, shepherds, shopkeepers etc, but also the policemen and the public authorities and even the friendly natasha with whom you may be sharing your hotel lobby. Theft is practically unheard-of in this part of Turkey. Unaccompanied women will cause excessive curiosity, but seldom anything worse.

You will find people perfectly willing to forgive and smile upon the foibles of a foreigner. The only possible exception to this is when the foreigner displays a foolish sympathy in the Kurdish cause – not a popular point of view in a region where many families have lost a son or a relative in the decade-long war in the southeast.

Learning Turkish

Pronunciation

All place names in this book (including some in non-Turkish languages like Greek or Georgian) appear in Turkish spelling. That is because it is simple, easy, and consistent. Every letter represents a single sound in all contexts. There are no diphthongs, and no confusing double-consonants.

*Vowel values are as in German or Italian, except the **undotted ı** which sounds like the second vowel in "vowel".*

*Of the consonants, **c** is always pronounced as in George, **ç** as in church, **g** as in grog, **ş** as in shish-kebab. **h** is always a distinct sound, so* Dolishane *is pronounced "dolis-hahnay". **ğ** with a hat simply lengthens the preceding vowel – thus* doğan *is like an exaggerated "dawn".*

Lexicon

Having documented all the obscure languages and dialects of the Pontic backwaters, we might as well dwell here on some of the finer points of the one language that is known and spoken by all Karadenizlis.

***Karadeniz**, literally "black sea", has been the Turkish name of the sea since at least the 11th century. The Russian* Chernoye More *is a translation of the Turkish. So is the English Black Sea. The Mediterranean, by contrast, is* Akdeniz *or "white sea" to Turks. There is no explanation for the colour-coding of the seas.*

*A **mahalle** is simply a neighbourhood or a city subsection in standard Turkish use. In the Black Sea it specifically means a cluster of houses forming a sub-unit of the region's typically spread-out villages. A **köy** (village) is likely to have at least a mosque and a couple of grocery shops. It will be called a **yayla** if it is located up above the clouds, and uninhabited in winter.*

***Çarşı** is the hub of narrow lanes lined with hundreds of little shops organised in the old Near Eastern fashion – ie. no brands, few price tags, low margins. We translate it (poorly) as a "bazaar district", which may or may not have a covered section. Contrast **pazar**, which means a weekly marketplace, with moveable stands rather than fixed shops.*

*A **konak** is a particularly big and wealthy house, preferably historic and almost certainly in old "Turkish" style. It would be called a **yalı** if built on the waterfront (as on the Bosphorus in Istanbul), and a **köşk** if it vaguely reminds of a hunting lodge. A proper* konak *has a section for men and guests, called the **selamlık**, and a private section reserved for women, children and servants, called the **harem**.*

*A **medrese** was a college in old Islamic style. It usually consisted of one or more cloisters surrounded by cells where scholars lived and studied for an indefinite number of years. Islamic law and Quranic exegesis were the favourite topics, though mathematics, grammar and astronomy were sometimes on the curriculum, too. All medreses in Turkey were closed down by law in 1924.*

*The Turkish word **kale** covers simultaneously the English castle (a fortified residence), fortress (a defensive enclosure) and citadel (walled inner city). A **hisar** means the same thing.*

*An **oto sanayi sitesi** ("auto industrial park") takes the logic of old bazaars to the car repair business. An oto sanayi has sprung up outside every Turkish town and city, clustering together scores (or hundreds) of repair shops where you will be offered cups of tea as your car gets repaired with magic speed and at laughably low cost.*

*A **pansiyon** is not a retirement benefit but a guesthouse, or bed&breakfast establishment. The rage for private house-pansiyons, so common in the 1970s, has all but died out in the sophisticated '90s. When a hotel is named **konukevi** or **han**, then you know it is owned by a trendy person from the big city.*

*A **lokanta** is a homey, friendly restaurant, while a **restoran** is the same thing with pretensions of class. Both differ from a **kebapçı**, where the fare consists of variously grilled meats, and a strong whiff of the Southeast hangs in the air.*

The name game

*Most place names in Turkey originated in earliest history. Each succeeding
civilisation adopted the toponymics of an earlier culture, often in corrupted
form, and added a few of its own. Thus for example **Samsun** derives from the
Greek Amisos (s'Amison, "to Amisos"), which in turn derives from an
unknown pre-Hellenic name. **Balıkesir**, which sounds like "Captive Fish" in
Turkish, is in fact Paliokastro ("Oldcastle") in Greek.*

*Towns with a properly Turkish name are rare. The same used to be the case
with the villages, until a systematic programme of name-change successfully
Turkicised all of them between the 1960s and '80s. Most villages now have an
official name beside their real or "old" name, with a distinctly unpatriotic
aura associated with the latter. Old names are still used locally, but you will
not find them on maps approved for sale by the Turkish government.*

*In this book we have tried (without much consistency, we are afraid) to give
the official name first, followed by the old name in parentheses. Historic names
are given only when necessary or interesting. Thus the village of **Bağbaşı**
(official) is commonly called **Haho** (old), which is in turn a corruption of the
Georgian **Hahuli/Khakhuli** (historic).*

---

*The monumental job of inventing names for 40,000 villages (and towns,
mountains, lakes and so on) behind the bureaucratic desk has resulted,
inevitably, in a degree of repetitiveness. Here are some elements that recur
often in new Turkish names:*

Ağaç - tree	Doğan - hawk	Ova - plain
Ak - white	Düz - flat, plain	Pınar - fountain, spring
Bağ - orchard, vineyard	Gök - sky, blue	Su - water, stream
Bahçe - garden	Göl - lake	Taş - stone, rock
Baş - head, top	Gün - sun, day	Tepe - hill
Çam - pine	Kale - fort	Yeşil - green
Çayır - field, grass	Kara - black, dark	Yol - road
Dağ - mountain	Meşe - oak	
Dere - stream	Orta - middle	

Postmodern Karadeniz / Serander cafe

Evde
film
seyretme
keyfi

sinema

**Türk ve Dünya
Sineması
koleksiyonları**

**Usta
yönetmenler
Çağdaş
oyuncular**

Kamera arkası,
oyuncu
filmografileri,
müzikleri ile ilgili
detaylı bilgiler

**Can Yücel,
Çetin Altan,
Ara Güler...
Türk kültürüne
damgasını
vuranlar. Hayatları,
dostları, eserleri.
Müthiş belgeseller!**

Format:
Video-CD Kitap

Bilgi
www.boyut.com
Tel: 0 212 629 53 00 (Pbx)
Faks: 0 212 629 05 74-75

**Türk
Sineması
Koleksiyonu**

**Dünya
Sineması
Koleksiyonu**

Belgesel

BOYUT SİNEMA
BOYUT YAYIN GRUBU

Dizin (Türkçe)

Index (English)

Fotoğraflar Photo Credits

Mehmet Avcıdırlar 30 34 79 84 92 94 97 103 110 111 130 133 150 160 172 188 195 205 ● **Manuel Çıtak** 10 28a 28b 62 76 116 177 179 184 216 ● **Bünyad Dinç** 63 86 104 105 109 119 124 156 171 178 ● **Necmi Erol** 16 74 81 96 100 ● **H. Gönendik** 49 95 99b 106 ● **M. Güvenli** 35 144 ● **Ş. İskender** 36 ● **İzzet Keribar** 35b ● **Betsy Klein** 6 29a 31 35a 38 42 45 83 87 88 89 99a 101 117 121 123 141 ● **Sevan Nişanyan** 48 52 55 72 77 78 80 91 98 107 113 114 118 137 149 158 162 168 173 183 185 187 191 192 193 194 201 207 ● **Justine Schlögel** 181 ● **Mutlu Tönbekici** 59 60 126 151 154 176 ● **Yusuf Tuvi** 29b 50 ● **O. User** 143 ● **İbrahim Zaman** 26 32 40 51 54 90 120 128 138 140 190.